Oscar Bestsellers

di Viviana Mazza

nella collezione Oscar Bestsellers
Storia di Malala

nella collezione Contemporanea
Il bambino Nelson Mandela
Storia di Malala

VIVIANA MAZZA è una giornalista del "Corriere della Sera". Scrive per la redazione esteri, seguendo storie di donne e di uomini dall'Alaska al Pakistan. Nel 2010 ha vinto il Premio giornalistico Marco Luchetta dedicato ai bambini vittime della guerra. È tra le prime in Italia a raccontare con professionalità e passione la storia di Malala. Con questo libro ha vinto il Premio letterario internazionale Nino Martoglio, il Premio Giovanni Arpino ed è stata finalista al Premio Bancarellino 2014.

Viviana Mazza

Storia di Malala

illustrazioni di Paolo d'Altan

OSCAR MONDADORI

Prima edizione Contemporanea luglio 2013
Prima edizione Oscar Bestsellers maggio 2014

ISBN 978-88-04-63977-0

Questo volume è stato stampato
presso ELCOGRAF S.p.A.
Stabilimento di Cles (TN)
Stampato in Italia. Printed in Italy

Anno 2015 - Ristampa 5 6 7

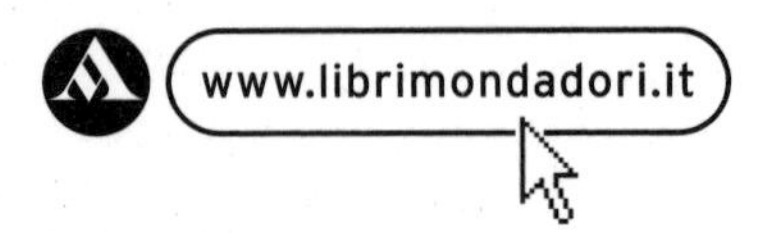

Introduzione

Luglio 2013

Questo libro è nato per raccontare la storia di una ragazza coraggiosa: Malala Yousafzai.

Coraggiosa, perché non è facile difendere i tuoi diritti quando gli altri – più grandi, più forti, più prepotenti di te – la pensano diversamente.

Malala ha alzato la voce per difendere ciò in cui credeva, non solo per se stessa, ma anche a nome delle altre ragazze, e l'ha fatto rischiando tutto: la sua stessa vita. Era il 9 ottobre 2012 quando le hanno sparato, mentre andava a scuola nella valle di Swat, in Pakistan. Aveva quindici anni, e voleva semplicemente imparare. Ma c'erano persone che credevano che per le ragazze l'istruzione non fosse un diritto.

Ho scritto di Malala prima sulle pagine del mio giornale, e ora in questo libro. Mi è stato utile il fatto di conoscere da vicino un Paese complesso e affascinante come il

Pakistan, ma la storia di Malala, che non ho avuto modo di incontrare personalmente, tocca anche qualcosa di universale e profondo: parla direttamente a ciascuno di noi.

Quando Malala era in ospedale centinaia di bambini e ragazzi di ogni età, religione, nazionalità le hanno mandato lettere e disegni colorati, aiutandola a trovare la forza per sopravvivere.

Sei mesi dopo l'attentato, è tornata a scuola in Inghilterra, mentre dal Pakistan giungevano nuove minacce di morte contro di lei. Ma ancora prima di uscire dall'ospedale, ha ricominciato a usare la sua voce, che oggi è più forte di prima, per promuovere il diritto all'istruzione e alla libertà di espressione.

Oggi Malala è candidata al Nobel per la pace. Ma questa storia non riguarda solo lei. Proprio in questo momento, tante altre Malala in Pakistan e in tutto il mondo cercano il coraggio di scommettere sui propri sogni e di lottare contro le ingiustizie.

Nelle mie ricerche tra articoli di giornale, interviste, video e documentari (in fondo al libro ho elencato le fonti principali), mi sono trovata di fronte a un disegno, uno di quelli mandati a Malala in ospedale. Era fatto a matita e mostrava una casetta, gli alberi, il sole e una ragazzina, con una freccia sopra la testa e la scritta: MALALA.

Non so se venga dal Pakistan o dall'Italia o da chissà quale parte del mondo.

So solo che raffigura una ragazzina normale, non un'eroina con la maschera e il mantello o i poteri magici.

La mia speranza più grande è che le prossime pagine possano ispirare tante altre lettere e disegni come questo e far viaggiare i lettori in una parte del mondo lontana, alla scoperta delle somiglianze oltre che delle differenze. E che il coraggio di Malala sia contagioso.

Novembre 2014

Malala ha 17 anni e ha vinto il Premio Nobel per la Pace: è la prima volta nella storia che viene assegnato a un adolescente ed è il riconoscimento del fatto che anche i ragazzi possono essere coraggiosi, a volte più degli adulti.

Un anno fa ho incontrato Malala nella sua casa di Birmingham. Mi ha parlato tanto della sua nuova scuola: ora studia molto di più la storia europea. «Posso farti una domanda? Ma Mussolini aveva l'appoggio degli italiani?», mi ha chiesto. Nei weekend e durante le vacanze, Malala si dedica all'attivismo: ha creato una fondazione per aiutare altre ragazze che non hanno il diritto all'istruzione. Di questo ha parlato alle Nazioni Unite nel suo primo discorso pubblico dopo l'attentato, e quest'anno ha festeggiato il suo compleanno in Nigeria per sostenere le sue coetanee che vivono in quel Paese. È stato in classe, durante una lezione di chimica, che Malala ha saputo di aver vinto il Nobel. Quella sera mi ha mandato via e-mail un messaggio, che è la sua promessa al mondo: «Continuerò la campagna per l'istruzione. Non mi fermerò mai!».

Viviana Mazza

TAJICHISTAN
Mingora
Buner
Haripur
KASHMIR
AFGHANISTAN
Peshawar
Islamabad
CINA
Bannu
Lahore
پاکستان
PAKISTAN
INDIA

La pernice grigia sa già, oggi,
quello che accadrà domani.
Eppure cammina nella trappola lo stesso,
catturata da un branco di ragazzini.

Khushal Khan Khattak
(poeta e guerriero pashtun, 1613-1689)

Spari

9 ottobre 2012

— È finita! — Zakia sale sul pulmino della scuola e, con un sospiro, appoggia lo zaino a terra e le spalle allo schienale. Le frullano ancora in testa tutte le domande del compito in classe di *urdu*. Non è una lingua difficile. L'inglese è sicuramente molto peggio. Ma quella mattina non riusciva a trovare la concentrazione.

Chiacchierando, le ragazze avvolte in grandi scialli scuri si stringono l'una all'altra dentro il pulmino, che non ha niente a che fare con gli scuolabus gialli dei film americani. È un pick-up bianco: un furgone con la cabina separata per l'autista e uno spazio sul retro coperto da un telone di plastica, per riparare dal vento.

Le ragazze entrano da dietro, e si siedono sulle tavole di legno montate a formare delle panche. A volte, quando l'autista Usman accelera, non sanno come tenersi e rischiano di finire l'una addosso all'altra, tra lo spavento e le risate generali.

Malala salta a bordo e prende posto accanto a Zakia. Poi sale Laila, sorridente come sempre, e si siede vicino a Malala.

Laila e Malala sono molto amiche e, anche se hanno solo tredici e quindici anni, hanno già le idee chiare sul futuro: faranno il medico. Zakia, invece, ha sedici anni, ma non sa ancora che lavoro farà.

— ... dodici, tredici... — conta una delle tre insegnanti che le accompagnano — ... e quattordici.

L'ultima ragazza in fondo chiude le tende verdi sul retro. Si parte. Sono allegre e cominciano a cantare una vecchia canzone popolare:

Con una goccia del sangue del mio innamorato
Versato per difendere la madrepatria
Mi traccerò un puntino rosso sulla fronte
E sarà di una bellezza tale
Da far invidia alle rose del giardino.

Zakia è pensierosa. Fissa le tende che oscillano al vento, unico spiraglio verso il mondo esterno, in quel furgoncino senza finestre. Ondeggiando, il tessuto lascia intravedere la strada polverosa di Mingora. Ogni cosa è avvolta da una nube giallastra, ma si distinguono alcune figure là fuori, nel viavai di mezzogiorno.

Un uomo cammina curvo con un grande sacco sulle spalle, e in braccio un bambino di pochi anni.

Due giovani sfrecciano veloci a bordo di una moto.

Alcuni risciò blu e verdi sono fermi ai lati delle strade, altri in movimento nel traffico.

I camion sono ricoperti di minute decorazioni floreali e geometriche.

Mingora non ha perso la voglia di vivere, e conserva il suo spirito antico di città di frontiera del nord del Pakistan.

Anche gli orecchini pendenti di Laila oscillano avanti e indietro, avanti e indietro, come le tende del furgone. Intanto Zakia non riesce a smettere di pensare al compito in classe: — Tu come hai risposto nell'esercizio numero tre, quello di completamento delle frasi? — chiede a Malala, che è una delle compagne più studiose.

— La domanda sulla verità? La risposta era: *"Aap ko sach kehna hoga"*, cioè "Devi dire la verità".

— "*Dire* la verità..." Ecco, lo sapevo! — Un lampo di imbarazzo passa dietro la montatura nera degli occhiali di Zakia. — Io ho scritto *khana* al posto di *kehna*!

— Non ci credo! Hai scritto "devi *mangiare* la verità?" — dice Laila scoppiando a ridere. E anche a Zakia scappa un sorriso.

Poi il suo sguardo torna sugli orecchini di Laila: prima si muovevano, ora sono immobili.

Si gira verso l'uscita: anche le tende hanno smesso di fluttuare.

E d'un tratto si spalancano.

È un attimo. Un ragazzo con la barba infila la testa nell'abitacolo.

— Chi di voi è Malala? — grida. E intanto scruta le ragazzine una a una.

Ha in mano una pistola e tutte iniziano a urlare.

— Zitte! — ordina. E loro si ammutoliscono.

A Zakia sembra di averlo già visto in strada, poco prima, a bordo della moto che sfrecciava. Ma non è certa di nulla, la paura le annebbia la vista.

— Chi è Malala? — ripete. — Rispondete all'istante, o vi ammazzo tutte! Malala ha insultato i soldati di Dio, i *talebani*, e per questo sarà punita.

Nel silenzio, la domanda risuona come una condanna a morte. Malala, che avrebbe voluto dire tante cose, sembra paralizzata dalla paura, e non trova in gola neppure l'aria per fiatare.

Zakia si accorge che alcune compagne si sono girate verso l'amica dai grandi occhi castani.

Anche lo sguardo del ragazzo con la pistola si ferma su Malala. Nessuna ha detto una parola, ma lui deve aver capito. Ora la sta fissando.

È questione di secondi.

Gli spari esplodono sordi, senza pietà.

Uno, due, poi un altro, e un altro ancora.

La testa di Malala ondeggia leggermente all'indietro.

Il suo corpo cade di lato e si accascia in grembo a Laila, come al rallentatore.

Le esce sangue da un orecchio.

Laila urla.

Il suo grido viene spezzato da un colpo che la raggiunge alla spalla destra, e poi da un altro alla mano sinistra, con cui stava cercando di proteggersi.

Anche Zakia sente un forte dolore, le sembra che un braccio e il cuore le stiano per scoppiare.

E sul mondo intero cala l'oscurità.

Mingora

La piccola ambulanza corre, preceduta e seguita dalla sua sirena. Si lascia alle spalle il pulmino con i sedili macchiati di sangue e gli zainetti ancora sparpagliati per terra. Ce n'è uno che raffigura Hannah Montana circondata da cuoricini, col microfono in mano come se stesse per iniziare a cantare.

L'ambulanza sfreccia nella città, che continua a muoversi, a esistere.

Il letto di un canale senz'acqua, da cui sono emersi ciottoli scuri e mucchietti di spazzatura.

Un posto di blocco dell'esercito.

Le facciate dei negozi con i sacchi di riso in vendita ammonticchiati sulla soglia.

Le insegne delle pensioni, i cartelloni degli internet café, la pubblicità della Pepsi.

L'incrocio di Khooni Chowk, la Piazza di Sangue dove i talebani mettono in mostra i cadaveri di chi ha osato contraddire i loro ordini.

E i discorsi della gente per strada: — Era una ragazzina!
— Il governo deve arrestare i responsabili!
— Come possiamo fidarci delle autorità? Sono già state uccise venti persone quest'anno, e nessuno ha fatto niente!
L'ambulanza si ferma.
Gli infermieri scaricano la barella su cui è distesa Malala.
Chi la vede da lontano potrebbe pensare che stia semplicemente dormendo, se non fosse per il lenzuolo bianco che la copre, tutto chiazzato di rosso.
La barella viene spinta attraverso i corridoi. L'odore, inconfondibile, è di ospedale, di gente in attesa e impaurita.
Tra i volti si intravedono i baffi neri del papà di Malala. Smarrito, stringe la mano della figlia.
Il papà è ancora con lei quando gli infermieri caricano il suo corpo su un elicottero dell'esercito, che prende il volo.

Se solo Malala potesse aprire gli occhi, vedrebbe le case, le moschee, gli hotel, che dall'alto sembrano tutti uguali, bianchi e marroncini, farsi sempre più piccoli in mezzo alla natura.
La sua città, ancora pallida dopo la guerra tra i talebani e l'esercito, riposa come un malato in convalescenza nel grembo delle colline coperte di pini.
Il grande fiume Swat la lambisce e fa crescere rigogliosi i suoi meli e albicocchi, ai piedi dei picchi più aspri dell'*Hindu Kush*.
Se Malala potesse volare, vorrebbe planare giù, attra-

verso le nuvole, accarezzare le foglie giallo oro degli alberi, sentire sulla pelle il vapore delle cascate mentre l'acqua scroscia tra le rocce.

Una volta, la professoressa ha raccontato in classe che durante una visita a Swat, molto tempo fa, la regina d'Inghilterra commentò: "È la Svizzera del Pakistan". E le ragazze, che in Svizzera non ci sono mai state, hanno pensato che se è davvero bella come Swat, di sicuro gli svizzeri sono fortunati.

Se solo Malala potesse respirare a pieni polmoni, sentirebbe l'aria fresca e inconfondibile d'ottobre che preannuncia l'arrivo dell'inverno.

Ma ora la sua mente è altrove.

Tre anni prima

Bombe

Gennaio 2009

Le pale dell'elicottero affettano l'aria. Il rumore si fa sempre più forte, sempre più forte, sempre più forte. Poi cominciano i colpi di mitragliatrice, e subito dopo vengono giù le bombe.

Malala si sveglia di colpo.

"Ancora questo brutto sogno" pensa, seduta nel letto, stordita. Da giorni non tornava a tormentarla.

La verità, però, è che non sono solo sogni: anche a occhi aperti sente gli stessi rumori e la stessa ansia. Da mesi gli elicotteri continuano a sorvolare la sua casa.

Dopo aver osservato per un attimo i ricchi ghirigori dorati della coperta color porpora, Malala si sdraia sul fianco destro, con le spalle alla finestra, e chiude gli occhi, cercando di riaddormentarsi al ritmo delle pale: se le ascolta con attenzione può capire quanti sono. Ma non è come contare le pecore. Non la aiuta a prendere sonno.

La prima volta che gli elicotteri hanno sorvolato la

città di Mingora, all'inizio della guerra, lei e i suoi fratellini Khushal Khan e Atal Khan si sono nascosti sotto il letto.

Un giorno, i soldati hanno lanciato le caramelle da lassù, e hanno continuato a farlo per un po'. Così, ogni volta che i bambini del quartiere li sentivano arrivare, correvano in strada. Ma poi l'esercito deve aver finito le caramelle, perché ha continuato a sparare e basta.

Malala sa che non cercano loro, che danno la caccia ai talebani nascosti tra i monti innevati. Ma sa anche che, se per sbaglio un missile mancasse l'obiettivo, potrebbe colpire casa sua e morirebbero tutti.

Sul giornale poi scriverebbero: "Malala Yousafzai, undici anni, studentessa della scuola media, uccisa insieme ai fratellini, alla mamma e al papà". Titolo: DANNI COLLATERALI.

Ma gli elicotteri sono solo l'ultimo dei problemi che affliggono la sua adorata valle di Swat.

Dalla fine del 2007 i talebani pachistani e l'esercito si combattono senza che l'uno abbia la meglio sull'altro. Ci sono dodicimila soldati, sono praticamente dappertutto a Mingora, hanno pure i carri armati. Si dice che i loro nemici siano solo tremila, eppure non riescono a stanarli.

La gente ha paura, perché intanto i talebani impongono a tutta la popolazione i loro *editti*, cioè i loro ordini.

Spesso lo fanno attraverso volantini distribuiti per strada, come quando hanno messo fuorilegge la musica.

Tutti i centri di musica, i venditori di CD e gli internet café sono informati che devono cambiare lavoro entro tre giorni e pentirsi delle cattive azioni commesse, altrimenti i loro negozi verranno fatti saltare in aria con una bomba.

Al calare della notte i talebani parlano alla gente via radio. Usano un canale illegale. Solo qualche sera prima hanno annunciato:

Dal 15 gennaio, le ragazze non devono più andare a scuola. Altrimenti i loro guardiani e gli istituti scolastici saranno ritenuti responsabili.

Non scherzano. Hanno già distrutto centocinquanta scuole nell'ultimo anno, solo perché erano frequentate da studentesse.

Per la famiglia di Malala questa è una notizia doppiamente terribile: suo padre, Ziauddin Yousafzai, possiede una scuola per ragazze. Come faranno ad andare avanti? Per quattordici anni la scuola ha riempito le loro pance, oltre che la loro anima.

— Malala, la colazione è pronta! — È già mattina, dopo un'altra notte passata a contare le paure.

Ad aspettarla ci sono le uova fritte, servite con *da warro dodai*, il pane piatto che a Swat è fatto spesso con la farina di riso. Finché può, la mamma sembra determinata a nutrire per bene i suoi figli.

Malala mangia, ma intanto pensa già con timore alla strada da percorrere per arrivare a scuola.

Mancano ancora dodici giorni esatti alla scadenza dell'ultimatum dei talebani per la chiusura delle scuole, ma qualcuno potrebbe gettarle in faccia l'acido anche prima.

Si dice che sia già successo a due bambine.

Come un oggetto di plastica lanciato nel fuoco, la pelle, a contatto con l'acido, si scioglie e si deforma, e così gli occhi, il naso e le orecchie. Si diventa irriconoscibili, per non parlare del dolore. È una delle punizioni minacciate dai talebani per chi non ubbidisce agli ordini.

La divisa della scuola è blu. Ha il colletto rotondo e il bordino bianco. Arriva fino al ginocchio e va indossata su un paio di pantaloni chiari. Se fa freddo, c'è anche un maglione rosso da mettere sopra. E, per ultimo, l'ampio scialle scuro, appoggiato sulla testa e avvolto intorno alle spalle.

Come sempre, la mamma ha stirato la divisa e l'ha appesa in bella vista nella sua stanza. A Malala piace molto, tanto che, dopo colazione, sta per mettersela. Ma poi si ricorda che, stavolta, la preside ha chiesto di presentarsi con i vestiti normali, per non dare nell'occhio. E così, sceglie il suo preferito, rosa.

Poi si mette sulle spalle lo zaino di Harry Potter e si incammina verso la scuola, che dista solo quindici minuti da casa.

Mentre avanza con i sandali blu sull'asfalto della stradina, pensa che in tutto il mondo, a quell'ora del mattino, tante altre bambine stanno andando a scuola. Ma i talebani sostengono che le studentesse come lei andranno all'inferno.

Procede con calma, a passi regolari, costeggiando i muri di mattoni che circondano i giardini delle case. Alcuni sono protetti dal filo spinato. Dalle sommità spuntano ciuffi ribelli di cespugli e qualche cima d'albero.

Papà preferisce non accompagnarla. Non vuole attirare l'attenzione e rischiare di metterla in pericolo, perché lui è conosciuto, a Mingora.

Molte delle compagne indossano abiti dai colori allegri, quel giorno. In classe c'è un'atmosfera così familiare... Ma all'assemblea del mattino la preside Aghala raccomanda a tutte di indossare abiti meno sgargianti, l'indomani.

— Dimmi la verità, Malala. I talebani stanno per attaccare la scuola? — le chiede una bambina più piccola, Asmaa, trattenendo a fatica le lacrime.

Malala non sa cosa rispondere.

Sedici sedie su ventisette sono vuote.

Tre delle sue migliori amiche sono già partite con le loro famiglie, si sono trasferite a Peshawar, Lahore e Rawalpindi, città più sicure, lontane da lì.

Anche Zakia se n'è andata: suo padre faceva il maestro alla scuola elementare in un paesino vicino a Mingora, e sua madre l'infermiera, ma i bombardamenti dell'esercito da una parte, e i posti di blocco dei talebani dall'altra, li hanno convinti a portare la famiglia in salvo. Altrove.

Nonostante tutto Malala trova la forza di rispondere alla piccola Asmaa: — Stai tranquilla. Andrà tutto bene, se restiamo unite.

Ci vuole coraggio per restare, e anche se è poco più che una bambina, Malala sa già che non può permettersi di sembrare allarmata o spaventata.

E poi il suo papà le ha dato il nome di una guerriera: Malalai di Maiwand, vissuta da quelle parti centocinquant'anni prima. In realtà viveva in Afghanistan, ma a quei tempi i confini tra Pakistan e Afghanistan non esistevano ancora.

Malalai era la figlia di un pastore, aveva diciassette o forse diciotto anni e, proprio quando stava per sposarsi, gli inglesi invasero l'Afghanistan. Il padre di Malalai e il suo promesso sposo si arruolarono, e lei li seguì per curare i feriti e portare acqua e armi ai combattenti.

A un certo punto, mentre si scontravano in un posto chiamato Maiwand, uno dei portabandiera fu ucciso, e le truppe afghane stavano per perdere la speranza. Fu allora che Malalai corse nel campo di battaglia, si tolse il velo che le copriva i capelli, ne fece una bandiera.

E cominciò a cantare:

Con una goccia del sangue del mio innamorato
Versato per difendere la madrepatria
Mi traccerò un puntino rosso sulla fronte

E sarà di una bellezza tale
Da far invidia alle rose del giardino.

La fierezza di Malalai fece arrossire di vergogna gli uomini che già si ritiravano, e li incoraggiò a continuare a lottare.

Lei fu colpita e uccisa. Ma grazie al suo gesto, il suo popolo vinse la battaglia.

Anche Malala e le sue compagne spesso intonano quella canzone: è la prova che una ragazza coraggiosa può fare cose incredibili.

Mosca cieca

Al ritorno da scuola, ho sentito un uomo alle mie spalle che diceva: "Io ti ammazzo". Allora ho affrettato il passo, e dopo un po' mi sono girata per vedere se mi seguiva ancora. Ma con grande sollievo, ho notato che stava parlando al cellulare. Stava minacciando qualcun altro.

Da un paio di giorni Malala ha iniziato a tenere un diario in cui racconta le sue giornate. Lo legge al telefono a Jawad, che prende appunti.

Jawad è un amico del papà, fa il giornalista. Voleva trovare una ragazza per scrivere una specie di blog sul sito internet di un'importante televisione inglese: un diario per far capire alla gente di tutto il mondo quanto è diventata difficile la vita nella valle.

Il padre di Malala ha domandato ad alcuni genitori di lasciar partecipare le figlie, ma tutti hanno detto di no. Hanno paura e non si può biasimarli.

Così, alla fine ha suggerito all'amico: — E se lo facesse Malala?

— Ma è ancora piccola — ha risposto Jawad.

— La mia Malala può farcela!

Malala vuole farcela: per salvare la sua scuola.

Ogni volta, prima di ricevere la chiamata all'ora prestabilita, inserisce nel telefonino una carta SIM speciale, per sicurezza, per non essere rintracciabile. Così le ha raccomandato Jawad.

Il giornalista ha inventato anche uno pseudonimo con cui Malala firma il diario: Gul Makai.

A parte la mamma, il papà e Jawad, nessuno deve conoscere la sua vera identità. È il loro segreto.

Oggi mio padre ci ha detto che il governo proteggerà le nostre scuole. L'ha promesso anche il primo ministro. All'inizio ero contenta, ma adesso penso che questo non risolverà il problema. Qui a Swat, sentiamo ogni giorno notizie su soldati che vengono uccisi o rapiti in un posto o in un altro. Ma la polizia non si vede mai.

Era venerdì pomeriggio e non avevo lezione, quindi ho giocato per tutto il tempo. La sera ho acceso la TV: ci sono state delle esplosioni a Lahore. Ho pensato: "Perché in Pakistan continuano a succedere queste cose?"

Oggi è vacanza. Mi sono svegliata abbastanza tardi, verso le 10 del mattino, e ho sentito mio padre che par-

lava di altri tre corpi trovati vicino alla Piazza Verde. Mi sono sentita triste.

Le loro conversazioni durano solo pochi minuti. Sono così brevi che le sembra di non riuscire mai a spiegare la complessità della realtà. O a ricordare tutti i dettagli.

Per esempio, stamattina papà ha citato anche il nome di una donna uccisa nella Piazza Verde. "Shabana." E quel nome è entrato nei suoi pensieri.

Papà si ostina ancora a chiamarla Piazza Verde, anche se ormai non lo fa più nessuno. La gente di Mingora l'ha ribattezzata la Piazza di Sangue: è lì che i talebani esibiscono i cadaveri di chi ha disobbedito ai loro ordini. Devono servire da ammonimento per tutti i passanti. E la gente non parla d'altro.

Chissà che cos'ha fatto Shabana per finire così.

— Sorpresa! — Una nuvola di bambini ha circondato Malala mentre era ancora immersa nei suoi pensieri. Sono arrivati zio Zeeshan e tutta la sua famiglia. Non si sentivano sicuri nella loro casa in campagna, dove i combattimenti sono ancora più feroci. Così, dopo avere aiutato un po' la mamma nelle faccende di casa e dopo aver fatto tutti i compiti, Malala passa il pomeriggio a giocare con i cugini tra gli alti muri di mattoni del cortile, cercando di non travolgere le rose del giardino e i panni appesi ad asciugare.

Intanto papà, nell'angolo, legge il giornale e le galline razzolano intorno.

Malala si sente un po' responsabile, visto che lei ha undici anni ed è la più grande, ma alla fine si lascia trascinare dalla spensieratezza dei piccoli e si diverte.

Il gioco preferito dei cugini è mosca cieca. Malala viene bendata con una sciarpa annodata dietro la nuca e deve correre per prendere gli altri.

Anche i talebani si coprono il volto quando infliggono le loro punizioni.

Una volta Malala ha guardato al computer uno di quei CD distribuiti per strada: il "colpevole" era stato disteso a faccia in giù per terra, davanti alla folla, mentre tre o quattro uomini incappucciati lo tenevano fermo. E un quinto lo colpiva sulla schiena con una spessa frusta di pelle.

— Uno! Due! Tre! — conta Malala bendata, per dare ai cugini il tempo di allontanarsi, prima di andare a cercarli.

"Uno! Due! Tre!" urlava la folla di spettatori nel video, contando ogni frustata.

Malala non riesce a capire perché la gente vada in piazza ad assistere a quello spettacolo.

In un altro video ha visto in prima fila un bambino piccolo. Poteva avere cinque anni al massimo, la stessa età di suo fratello Atal. Lì "i colpevoli" erano stati bendati e messi in fila, uno accanto all'altro. Per poi essere fucilati.

La sorte peggiore però è sempre riservata ai politici, ai poliziotti e agli attivisti. Vengono decapitati e lasciati in esposizione, con la testa appoggiata sopra la pancia e, a volte, c'è anche un bigliettino che minaccia: "Chi rimuove questo cadavere prima di domani a mezzogiorno farà la stessa fine". Forse hanno fatto queste cose pure a Shabana.

Ma ora Malala si sforza di non pensare ai talebani e alle ingiustizie.

Gira su se stessa fino a perdere l'orientamento: fa parte del gioco. Poi deve ritrovare l'equilibrio e correre, più forte che può.

Storie

Pregano, con i palmi delle mani aperti davanti al volto. Poi cenano seduti per terra, a gambe incrociate, ai piedi dei divani in salotto. La mamma ha preparato lo spezzatino di manzo al curry, e riso in abbondanza.

Malala ha steso la tovaglia azzurra sulla moquette e usa il servizio buono per apparecchiare, visto che ci sono ospiti. Fa lei gli onori di casa. E dopo cena, versa il tè con il latte.

Alla fine papà si siede sul divano e come tutte le sere cerca di sintonizzare la radiolina portatile.

È tutto normale, ma è una normalità diversa da quella di un anno e mezzo prima. Allora dopo cena si andava a passeggio. Adesso a Malala sembra un tempo così remoto... Ormai dopo il tramonto è pericoloso uscire.

Così si resta in casa ad ascoltare la radio. Una radio senza musica, che trasmette solo le prediche dei talebani.

— Stasera non prende — dice papà. Ma continua a provare: gira la rotellina sul lato destro dell'apparecchio e tutti tengono le orecchie tese per afferrare la voce familiare del Maulana Fazlullah, il capo dei talebani, o magari quella del suo vice, Maulana Shah Dauran.

Suo padre non è certo un ammiratore, ma si sintonizza per conoscere le mosse dei *miliziani* e cercare di capire come può proteggere la sua famiglia e la sua scuola.

— L'esercito deve aver bloccato il segnale — osserva Sajid, un amico di papà che si è unito alla compagnia dopo cena.

Sajid è anche l'insegnante d'inglese di Malala. Dice sempre che si sta organizzando per andare a vivere in Canada, ma non parte mai.

Abita a Shakardara, un villaggio più a nord, ed è la prima volta da almeno due settimane che viene a trovarli, perché finalmente l'esercito ha sospeso il coprifuoco.

— Che bello, significa che potrai tornare a fare lezione! — esclama Malala. Ma il suo sorriso si spegne appena le torna in mente che presto la sua scuola potrebbe non esistere più.

— Malala, Malala guardiamo le foto! — Per fortuna ci sono ancora i cuginetti con cui provare a distrarsi un po'. Impazziscono dalla voglia di sfogliare i vecchi album. E si divertono, loro, a farle mille domande.

— E chi è questo?

— Come si chiama quest'altro?

— Cosa facevate lì?

Anche a Malala, in fondo, piace guardare le foto del passato, in particolare quelle dei picnic di famiglia.

È una tradizione della domenica a casa Yousafzai. O perlomeno lo è stata.

Per i cugini, soprattutto per i più piccoli che sono nati in tempo di guerra, guardare le foto mentre Malala descrive quei posti è come ascoltare le favole della buonanotte, storie di un mondo di pace che non hanno mai conosciuto.

— Questa è Marghazar. C'è il famoso Palazzo Bianco, tutto di marmo, dove una volta il principe di Swat trascorreva l'estate, prima che la valle diventasse parte del Pakistan.

— E questo è il parco di Fiza Ghat. Abbiamo mangiato tanto pesce da scoppiare, quella domenica! Continuavamo a guardare le montagne… dovete sapere che c'è un tesoro di smeraldi nascosto al loro interno.

— Questa è Kanju…

A Kanju sono stati feriti due bambini, qualche mese fa, nella stazione di polizia. Qualcuno è entrato e ha cominciato a sparare contro gli agenti. Quei bambini, chissà come, si sono trovati nel mezzo.

Ma questo Malala non lo racconta ai cugini.

— È ora di andare a letto! — dice invece, chiudendo l'album.

La mamma si è già ritirata nella sua stanza, come sempre quando vengono a casa uomini estranei che non fanno parte della famiglia.

— Monellacci, a nanna anche voi — dice il papà ai figli.

A lei, invece, i grandi permettono di restare sveglia fino a tardi.

A un tratto Malala guarda il paesaggio fuori dalla finestra: il crepuscolo le sembra sempre così carico di premonizioni.

Il capo dei talebani, Maulana Fazlullah, si nasconde da qualche parte su quelle alture: da lassù parla alla radio, e da lì si sposta per colpire i suoi nemici.

Tra poco le montagne diventeranno invisibili, e le piccole luci di Mingora si accenderanno timide, una dopo l'altra, come per non farsi notare troppo.

Dietro ognuno di quei lumicini un po' sfocati ci sono tante famiglie come la sua, riunite intorno a un pasto e alle proprie storie. E in quel momento Malala capisce una cosa importantissima: i talebani possono sparare, bombardare, gettare l'acido in faccia alla gente, ma non possono distruggere tutto. Non possono cancellare i ricordi felici delle persone.

Maulana Radio

Maulana Fazlullah: i grandi finiscono sempre per parlare di lui, comunque cominci il discorso. È il capo dei talebani nella valle di Swat e nella sua storia non si riesce più a distinguere la realtà dalla finzione.

Da giovane lavorava alla seggiovia costruita per superare il fiume, oltre a fare il predicatore in moschea. Ora ha una trentina d'anni.

Qualcuno assicura che conosce a memoria il libro sacro del Corano, altri però sostengono che sia solo un imbroglione che non ha mai terminato gli studi.

Gira voce che abbia sposato la figlia del suo maestro, un importante religioso che incitava i giovani a combattere la "guerra santa" in Afghanistan. Ma l'avrebbe presa in moglie senza chiedere al padre il permesso per paura che glielo negasse.

Si racconta che vada sempre in giro in groppa a un cavallo bianco.

Solo una cosa è certa: è la radio che ha fatto la sua fortuna.

Grazie alla radio, Maulana Fazlullah è riuscito a raggiungere un pubblico enorme.

Si è intrufolato anche nelle cucine e nelle camere da letto, conquistando le donne timorose di Dio e i giovani disoccupati. Per questo la gente della valle l'ha soprannominato "Maulana Radio".

All'inizio le sue prediche erano generiche. Raccomandava di pregare cinque volte al giorno e di non commettere peccati. Criticava il governo corrotto e la guerra degli americani in Afghanistan.

— Ma perché tante persone lo seguono, Sajid? — chiede Malala.

— Ottima domanda! — "Sajid parla come un insegnante anche quando non è in classe" pensa sorridendo la sua alunna. — Sai, all'inizio molti credevano che Maulana Fazlullah fosse una specie di Zorro, solo che al posto della maschera aveva una lunga barba che gli copriva metà del volto. E al posto del cappello portava un turbante nero. O meglio ancora: era una specie di Robin Hood. Prometteva lavoro ai disoccupati e terra da coltivare ai braccianti nullatenenti. Pancia piena e giustizia nella vita, e infine il paradiso nell'aldilà. Cosa vuoi di più dalla vita? Era questo il miraggio che Fazlullah vendeva.

Malala osserva il suo insegnante: seduto sul divano, così magro, con i capelli lunghi che chiaramente non vedono un barbiere da mesi, Sajid sembra consumato dai suoi pensieri.

— Guai a credere ai miraggi, Malala. Sai perché? Perché quando ti svegli ti ritrovi da solo, senz'acqua, in mezzo al deserto. Ma al miraggio di Fazlullah la gente ci ha creduto!

C'è chi gli ha regalato oro e denaro, chi farina, chi olio, chi zucchero, chi cemento e mattoni. Le donne gli hanno donato i gioielli, simbolo del loro onore e della loro indipendenza economica. Altri beni se li è presi da solo, senza permesso: come il terreno oltre il fiume, non lontano da Mingora, dove, grazie a tutte quelle offerte, ha costruito una grande *madrassa*, una scuola di religione su due piani. E per anni le autorità lo hanno lasciato fare: nessuno lo ha fermato.

Man mano che i suoi seguaci aumentavano, però, Maulana Fazlullah è diventato sempre più rigido e intollerante. E ha cominciato a vietare tutto.

La lista è lunga.

Guardare film e TV: proibito.

Ascoltare musica o ballare: peccato.

Radersi: un'usanza occidentale da bandire.

Le vaccinazioni contro la poliomielite: un complotto americano.

Non esiste un aspetto della vita su cui il capo dei talebani non abbia qualcosa da ridire, inclusa la moda femminile.

Quella di Swat, a suo giudizio, non va bene. A differenza di altre zone nel nord del Pakistan, il burqa qui non si usa granché. Sopra i pantaloni e la tunica, quando escono di casa le donne indossano una specie di *chador*, di solito bianco, che copre la testa e avvolge il corpo: da queste parti si chiama *parroney*. Le ragazzine portano il *saadar*, uno scialle più corto, di lana d'inverno e di cotone o di lino d'estate. Dentro casa, invece, si usa una sciarpa leggera che in pashto si chiama *lupata* e in urdu *dupatta*.

A Fazlullah non basta. Meglio il *burqa*, con un minuscolo rettangolino a rete davanti agli occhi. Anzi, meglio ancora non uscire proprio, perché il posto delle donne è la casa. Questo predicano i talebani.

— È terrorismo nel nome della religione — dichiara il papà di Malala. — L'ho detto anche al barbiere, stamattina, quando si è rifiutato di tagliarmi la barba. "Perché non pensate con la vostra testa? Avete tutti bisogno di lavorare e di mantenere le vostre famiglie. Volete essere buoni musulmani? E allora andate in moschea, pregate, digiunate nel mese del digiuno." Così gli ho detto. Ma lui non ha reagito.

Sajid ascolta, sprofondato fra le pennellate verdi e rosse del tessuto del divano, gli occhi tristi rivolti lontano.

— La verità, mio caro Ziauddin, è che la gente adesso si sta svegliando, e vorrebbe dire a Maulana Fazlullah e ai suoi seguaci: "Con tutto il rispetto, andatevene!" Ma ormai è troppo tardi. Sono troppi, sono dappertutto. Accendono enormi falò e danno alle fiamme televisori, videoregistratori e computer. Si appostano agli incroci, e ordinano agli automobilisti di smontare le autoradio. Uccidono gli anziani per privare la comunità dei suoi saggi e della memoria, e distruggono anche le moschee se i *mullah* non li appoggiano. Sono pronti a sfigurare le nostre donne con l'acido. Vogliono cancellare la nostra cultura.

Questi discorsi fanno battere forte il cuore di Malala: sente che l'ultimatum dei talebani incombe su di lei e sulle cinquantamila studentesse di Swat come un conto alla rovescia, alla fine del quale le aspetta un salto nel vuoto.

Malala non sa dire se sia più grande la paura di andare a scuola, giorno dopo giorno, o quella di non poterlo fare mai più, dopo il 15 gennaio.

Manca poco più di una settimana: e poi?

Le domande esplodono nella sua testa.

Le risposte non arriveranno stasera.

Così dà la buonanotte a tutti, augurandosi un sonno senza incubi.

Ragazze

Problema numero 1. Un autobus percorre 280 chilometri il primo giorno, 950 chilometri il secondo giorno e 390 chilometri il terzo giorno.

Problema numero 2. Un fruttivendolo vende 100 chili di frutta di lunedì, 50 chili di martedì...

L'unico numero su cui Malala riesce a concentrarsi, stamattina, è il 6: quanti giorni mancano prima che entri in vigore il divieto contro le scuole femminili?

Isaac Newton la guarderebbe male. Il suo ritratto è appeso all'entrata, sopra le panche dove le bambine e le ragazze lasciano gli zaini prima di correre in classe, e dove qualcuna delle più piccole si toglie anche il velo dai capelli. Dalle elementari in poi, le alunne della scuola sono tutte femmine.

I suoi fratelli Khushal e Atal, che hanno dieci e cinque anni, invece, vanno in un altro istituto.

Per Malala la scuola è come una seconda casa. Quand'era piccola e i suoi fratelli non erano ancora nati, mamma e papà vivevano in un appartamentino ricavato tra le classi. Malala passava le giornate correndo e giocando tra i banchi e durante le lezioni si sedeva insieme alle bambine più grandi, con gli occhi che brillavano di curiosità, ad ascoltare i maestri.

Col passare degli anni ha imparato tante cose.

Ora che frequenta il settimo anno, cioè la seconda classe delle medie, scrive temi, fa le gare di dibattito con le compagne, studia matematica, scienze, e diverse lingue.

Oltre all'urdu, la lingua in cui si tengono quasi tutte le lezioni, studia il dialetto pashto, cioè la lingua dei *pashtun*, che la sua famiglia e la maggioranza della gente che abita nel nord del Pakistan parla in casa. In inglese è tra le migliori della classe e, durante l'ora di religione islamica, impara anche un po' di arabo.

In urdu e in pashto conosce tante poesie, che parlano d'amore e d'avventura.

A casa ne ha imparate alcune sin da piccola, perché suo padre nutre una specie di venerazione per il poeta Khushal Khan Khattak, tanto che ha dato il suo nome sia alla scuola che a uno dei suoi fratelli. "Khushal", cioè "felice". È senz'altro un nome più allegro di Malala, che significa "afflitta dal dolore"!

Ma non tutte le sue poesie sono allegre. Per esempio ce n'è una che dice:

Che sboccino in pianura
O crescano sulle montagne,

I fiori di primavera,
In tutta la loro gloria,
Alla fine perderanno i loro petali.

A volte Malala si rifugia in quei libri, perché anche le poesie più malinconiche sono preferibili alle incertezze del presente. Ma oggi, durante la ricreazione, Laila ha detto, col solito buonumore: — Basta con le storie tristi!

"Per fortuna mi è rimasta Laila", pensa Malala ricambiando il sorriso della sua amica.

Probabilmente tante persone a Mingora pensano "Per fortuna è rimasto il papà di Laila", visto che fa il panettiere e continua a impastare il pane per la gente, anziché scapparsene via.

È triste vedere i negozi della città chiudere uno dopo l'altro, ma alcuni, come i genitori di Laila, resistono.

— Raccontami come hai passato Muharram — chiede Laila. Per l'inizio del Nuovo Anno islamico, la festività di Muharram, c'è stato qualche giorno di vacanza.

— Siamo andati a Buner — risponde Malala. — Ci sei mai stata? È bellissimo. Che pace! Nessuno spara, laggiù, nessuno ha paura. È stato proprio come uno di quei picnic di una volta, e c'erano anche gli zii e i cuginetti.
— A Buner c'è il mausoleo di Pir Baba, giusto? È vero che l'acqua della sorgente cura i lebbrosi? — chiede incuriosita Laila.

— Non lo so, ma era pieno di gente. Alcuni erano là per pregare: dicono che Pir Baba esaudisca i desideri dei devoti prima ancora che arrivino a inchinarsi alla sua tomba. Altri erano in gita. Noi abbiamo fatto anche un giro nei negozi del bazar.

— Hai comprato qualcosa? Fammi vedere!

— No, non mi piaceva niente. Mia mamma invece si è comprata un paio di orecchini e dei bracciali.

— Ma come fate a parlare di queste sciocchezze? — Fatima interrompe bruscamente i loro discorsi da ragazze. — Non avete sentito di Shabana?

"Shabana" ripete a mente Malala: il nome che non riusciva a togliersi dalla testa.

— Shabana, la ballerina che si esibiva ai matrimoni — spiega Fatima. — Sono andati a prenderla a casa, l'altra notte. Hanno bussato. "Chi è?" ha chiesto lei. "Vogliamo prenotare una danza per una festa." Lei ci ha creduto, ha aperto la porta tutta contenta. Poi i vicini hanno sentito le urla.

— Erano i talebani? — chiede Malala.

— Sì. L'hanno picchiata, le hanno strappato i lunghi capelli neri. "Devi morire!" dicevano. La madre di Shabana è arrivata correndo, li ha supplicati di risparmiare la figlia, ha giurato che non avrebbe danzato mai più. "Taci, vecchia!" Le hanno sputato addosso. — Fatima continua il racconto come un fiume in piena. — La madre li ha seguiti a piedi scalzi, li ha rincorsi per strada, continuando a supplicarli, senza curarsi del freddo e dei vetri sul selciato. Arrivati alla Piazza di Sangue, Shabana ha chiesto soltanto una cosa... — Fatima riprende fiato per pochi secondi, una pausa che a Malala e Laila sembra infinita. — ... di spararle anziché tagliarle la gola. E in questo l'hanno accontentata, mentre la madre crollava in ginocchio davanti a loro. Il giorno dopo, il cadavere di Shabana era nella Piazza di Sangue. Per sfregio le hanno gettato addosso un mucchio di banconote e di CD delle sue esibizioni, insieme alle foto strappate dal suo album.

Malala e Laila restano in silenzio.

Non hanno più domande. Non vogliono sapere le risposte.

Suona la campanella.

La ricreazione è finita. E con lei l'illusione di poter essere due ragazze normali, almeno per un giorno.

Mercato

Scarpe, vestiti, giocattoli, gioielli, profumi, reggiseni, smalti colorati riempiono le bancarelle fino a straripare: è il Cheena Bazar, il bazar "della sorgente".

La gente di Mingora lo chiamava il "mercato delle donne", solo che adesso le donne non ci possono più andare.

Fino a pochi mesi fa Malala e sua madre, Toorpekai, acquistavano qui i tessuti, per i divani del salotto come per la divisa scolastica.

Per Eid al-Fitr, la festa alla fine del Ramadan, il bazar era sempre affollatissimo di clienti in cerca di regali. E nel giorno dell'Indipendenza, le strade del mercato venivano decorate con migliaia di bandierine pachistane e ghirlande di foglie e di fiori.

Non più.

Non è più la stessa cosa, da quando i talebani hanno vietato alle donne di andare a fare spese. Nella strada d'accesso, appeso in bella vista tra due edifici, c'è uno striscione che dice:

Si chiede alle donne di evitare di fare compere al Cheena Bazar. Gli uomini dovrebbero andare al loro posto.

Questo è l'ordine.

Così Malala e la mamma se ne stanno alla larga dal bazar, e mandano il papà, quando è proprio necessario. E lui racconta di aver visto mariti o fratelli o padri perplessi restare per ore, in piedi, davanti a una bancarella di scarpe, cercando di ricordare le indicazioni delle donne di casa. Quelle scarpe, ai loro occhi, sono tutte uguali! Ma non possono tornare a mani vuote, né con l'acquisto sbagliato.

La mamma ride: — Lo so benissimo — dice. — Per questo ti mando solo quando non posso farne a meno!

I negozianti soffrono, seduti a guardare le pareti delle loro botteghe semideserte, in attesa di clienti che non arriveranno. Ormai riescono a malapena a pagare l'affitto e la luce elettrica.

Alcuni, che vendevano cosmetici, profumi e biancheria intima, ricevono lettere minatorie.

Ma gira anche voce che altri abbiano ottenuto aiuto dai talebani per pagare un affitto più basso: forse i miliziani non vogliono inimicarsi troppo i commercianti.

Questo, comunque, non cambia le cose: il mercato ormai è quasi deserto e il lavoro è poco.

Le donne restano chiuse in casa, troppo spaventate non solo per fare compere, ma anche per mettere il naso fuori, se non è indispensabile.

All'inizio i talebani se la sono presa con le ballerine e i musicisti, costringendoli a lasciare il lavoro e a pubblicare sui giornali annunci in cui promettevano di condurre una vita pia. Dopo quello che è successo a Shabana, c'è chi ha scritto sull'uscio: "Abbiamo smesso di danzare, per favore non bussate alla porta".

Poi hanno cominciato a criticare tutte le donne che lavoravano. Le hanno obbligate a mettersi il burqa, che le copre dalla testa ai piedi.

La signora Bibi, che fa le pulizie nella scuola di Malala e ama indossare colorati scialli a fiori, si lamenta sempre:

— Mi manca l'aria.

Non è l'unica.

— Mi sembra di essere un cavallo con i paraocchi — ha sbuffato una volta, arrabbiata, la signora Shahi, che insegna alle elementari.

La maestra più giovane, Sharisa, cerca invece di sdrammatizzare: — Ho due identità, proprio come Spiderman! — dice alle allieve sgusciando fuori da quell'involucro di stoffa, tutta spettinata.

Uscire di casa è diventato un grosso rischio.

Si dice in giro che una maestra, con l'unica colpa di aver voluto continuare il suo lavoro nonostante i divieti, sia stata catturata e costretta a indossare un paio di cavigliere con i campanelli, come se fosse una prostituta. E poi uccisa.

È più difficile, invece, proibire di lavorare alle infermiere: tutti hanno bisogno degli ospedali, anche i talebani e le loro mogli. Però hanno intimato loro di vestirsi con "abiti islamici", affiggendo messaggi minatori alle loro porte di casa. Non è affatto semplice curare i malati in burqa, ma a chi potevano chiedere protezione? Ai poliziotti che in centinaia hanno lasciato il lavoro, annunciandolo con tanto di nomi sui giornali per non essere uccisi? Così le infermiere hanno obbedito. Qualcuna poi ha pure finito per crederci, come una delle assistenti della madre di Zakia: — Il nostro regno è la casa. Purtroppo non sono sposata, altrimenti sacrificherei anche mio marito e i miei figli e donerei tutto per la causa di Maulana Fazlullah.

La mamma di Zakia avrebbe voluto spiegarle che stava facendo un errore, ma temeva di essere denunciata. Invece, ha fatto le valigie e, con il marito e la figlia, ha lasciato Swat.

Spesso, al calare della sera, i talebani trasmettono alla radio una serie di nomi: i "colpevoli", che meritano la morte, e i "pentiti", che possono essere risparmiati.

A volte nella lista dei pentiti ci sono infermiere, maestre e anche studentesse che hanno smesso di lavorare, insegnare, andare a scuola.

Quei nomi, tutti, non sono altro che trofei di caccia da esibire. E ogni nome di donna che viene letto alla radio è il nome di una donna che scompare: dai mercati, dalle scuole, dal lavoro, dalla vita.

Telecamere

Malala socchiude gli occhi quanto basta per vedere l'orologio.

Sono appena passate le cinque. A svegliarla sono state le solite esplosioni, seguite dal canto agitato del gallo. Forse si è svegliato di soprassalto anche lui.

Mentre cerca di riaddormentarsi, dato che è ancora presto per andare a scuola, le sembra di sentire il rumore del cancello. Allora si sforza di scuotersi dal torpore e si veste in fretta. È preoccupata per papà.

La mamma ha sistemato una scala dietro la finestra della loro camera da letto, così se i talebani vengono a cercarlo di notte, lui potrà scappare.

Si copre i lunghi capelli con uno scialle marrone di lana e se lo avvolge intorno. Dai sandali blu spuntano le dita con le unghie smaltate di rosso. Si precipita nella penombra dell'ingresso e, fuori, nel cortile, vede un uomo che parla con suo padre. I due discutono animatamente.

Anche Malala negli ultimi tempi ha immaginato alcune strategie per mettere in salvo papà.

Uno dei suoi piani è quello di correre in bagno e chiamare la polizia (sperando che arrivi in tempo).

Un altro prevede di far nascondere suo padre nella dispensa (augurandosi che nessuno vada a controllare proprio lì).

In alternativa potrebbe fargli indossare i vestiti della mamma, facendo attenzione a coprirgli bene la faccia e i baffi (il burqa in questo caso è l'ideale, ma la voce roca rischia di tradirlo).

Malala si avvicina alla porta socchiusa che dà sul cortile.

L'uomo e suo padre non si sono accorti di lei e continuano a discutere.

Malala si avvicina ancora un po', cercando di non fare rumore.

Quel volto le sembra familiare.

E finalmente tira un sospiro di sollievo.

È Jawad, il giornalista!

All'improvviso si ricorda: oggi è il 14 gennaio.

Jawad è venuto per girare un documentario sulle scuole femminili, ma sta cercando di convincere Ziauddin a fargli riprendere anche la vita quotidiana di Malala.

All'inizio suo padre si oppone: non vuole mettere in pericolo la figlia e la sua famiglia. Ma poi cede: il mondo deve sapere cosa sta succedendo a Swat.

Il giornalista è arrivato di notte da Peshawar, insieme a un cameraman pachistano, evitando le vie principali, mentre Alan, un reporter americano che ha commissionato il progetto, non c'è: Mingora è troppo pericolosa per uno straniero. Date le circostanze, offrire ospitalità e asilo a Jawad è un dovere per il papà di Malala: ne va del suo onore di pashtun.

— *Assalam alaikum* — saluta Jawad poco dopo, chiedendo il permesso di entrare nella stanza di Malala. — *Walaikum Assalam! Pakhair Raghley!* — "Spero che veniate in pace" risponde lei, come si usa dire agli ospiti. E il cameraman comincia subito a girare.

Si sente a disagio, anche se non è la prima volta che le capita di stare davanti a una telecamera.

Più di un anno fa suo padre l'ha portata all'associazione della stampa di Peshawar. La sala era piena di reporter, quelli dei giornali con i taccuini in mano, e quelli delle TV con le telecamere in spalla. Confabulavano e fumavano, producendo un costante brusio.

Quando Malala è stata invitata a parlare, si è sorpresa: le parole le uscivano dalla bocca senza sforzo, semplici e fiere.

— Come osano togliermi il diritto di andare a scuola? — ha detto, guardando le telecamere.

Ha immaginato i pachistani seduti davanti ai televisori e ha cercato di rivolgersi a ciascuno di loro parlando in urdu, per farsi capire da tutti.

E ai talebani che, ne era certa, avrebbero ascoltato, ha detto: — Potrete forse chiudere le scuole, ma non riuscirete a impedirmi di imparare.

Ora, però, è diverso: questa telecamera la segue persino in bagno! A chi può interessare vederla mentre si lava i denti?

— Sii naturale, Malala — le dice Jawad, riflesso nello specchio sopra il lavabo. — Non guardare dentro l'obiettivo.

Come se fosse facile.

Suo padre invece sembra perfettamente a suo agio mentre parla con il giornalista, seduto a gambe incrociate sul tappeto.

— Sono un idealista o forse sono pazzo, ma quando i miei amici mi chiedono perché non voglio andarmene da Swat, rispondo che questa valle mi ha dato tanto e, adesso che sono tempi difficili, non posso lasciarla. Che amico sarei se me ne andassi ora? È mio dovere guidare la gente fuori da questa situazione. E se dovessi morire... be', non ci sarebbe un motivo migliore per farlo.

Malala si accovaccia accanto a lui. La mamma si è volatilizzata, come fa sempre in presenza di uomini estranei. Lei, invece, che è ancora una bambina, può muoversi liberamente tra il mondo delle donne e quello degli uomini. Malala sa che presto crescerà, anche lei diventerà una donna.

— Oggi è il tuo ultimo giorno di scuola, come ti senti? — La domanda di Jawad, accompagnata dallo sguardo della telecamera, riporta Malala al presente, a quel 14 gennaio.

— Ho paura. Io voglio studiare, voglio diventare medico.

Le si riempiono gli occhi di lacrime e abbassa la testa, coprendosi il volto con una mano. Ma il papà, seduto alla sua sinistra, le dice teneramente: — Rilassati, stai tranquilla. — E le dà la forza di riprendere il suo discorso.

— Voglio fare il medico, è un sogno tutto mio. Mio padre dice che invece dovrei fare politica. Ma a me la politica non piace.

— Ma io vedo un grande potenziale in mia figlia — interviene lui, col suo tono di voce più solenne. — Può essere più che un dottore. Può aiutare, può creare una società in cui uno studente di medicina potrà facilmente ottenere un dottorato.

Sì, suo padre ha speranze diverse dalle sue. Ma Malala sorride, perché quelle parole e quell'orgoglio nei suoi occhi la fanno sentire più forte.

Deve affrontare uno dei giorni più difficili della sua vita. Al futuro penserà più tardi.

L'ultimo giorno

L'esercito si è offerto di schierare i soldati davanti alla scuola, ma papà ha rifiutato: se i talebani vogliono chiuderla con la violenza, non sarà con la violenza che lui la terrà aperta.

— Siamo nelle mani di Dio — dice sempre.

Quando entra dal cancello nero di metallo, seguita da Jawad e dal cameraman, Malala sente le compagne che stanno cantando l'inno nazionale in cortile, come ogni giorno alle 8 in punto, all'assemblea del mattino.

Benedetta sia la sacra terra
Felice sia il regno generoso
Tu, simbolo di risolutezza
O terra del Pakistan!

Malala cerca Laila con lo sguardo. Non è difficile, visto che le ragazze sono una ventina in tutto.

Dopo l'inno, la preside annuncia ufficialmente l'inizio delle vacanze invernali. In questo periodo dell'anno si fa sempre una pausa di un paio di settimane, prima degli esami. Ma stavolta è diverso.

Di tanto in tanto il discorso della preside viene interrotto dal rimbombo delle esplosioni, piuttosto vicine.

Le bambine più piccole sono molto scosse, ma anche sul volto di Laila si legge l'incertezza: la signora Aghala ha parlato dell'inizio delle vacanze, ma non ha detto quando finiranno.

Non può essere un caso.

"Allora è vero? È l'ultimo giorno di scuola? L'ultima volta che ci ritroviamo tutte insieme tra queste mura, l'ultima volta che sediamo tra i banchi dov'è nata la nostra amicizia?" pensa Malala mentre Fatima, affannata, si unisce alle altre.

— I miei genitori e i miei fratelli volevano tenermi a casa oggi — bisbiglia nell'orecchio a Malala. — Ma quando sono usciti tutti, io sono corsa qui di nascosto. Vogliono che andiamo via dalla valle — continua. — Sono convinti che la scuola non riaprirà mai più.

I giornalisti seguono le bambine su per le scale, mentre passano davanti alla 5ª A ed entrano nella 7ª A.

Durante la ricreazione, Jawad le raggiunge in cortile. Come si sentono? Cosa pensano?

Fatima, che il giorno prima ha letto un discorso speciale alla classe, corre a prendere il quaderno per ripeterlo ai giornalisti.

Oggi indossa un *kameez partoog*, cioè tunica e pantaloni, con decorazioni dorate che la fanno sembrare molto più grande della sua età, e quando si copre il volto con un velo nero, "per sicurezza" come suggerisce Jawad, è irriconoscibile.

Altre sette compagne si mettono una accanto all'altra, alle sue spalle, come un piccolo battaglione, mentre Fatima legge e la telecamera la riprende.

— Rispettabile preside, il titolo del mio discorso è: "La situazione a Swat". La valle di Swat è il paradiso sulla terra, e si trova nel nordovest del Pakistan. La valle di Swat è la terra delle cascate, delle colline verdi lussureggianti e di altri doni elargiti dalla natura. Ma, miei cari amici, adesso Swat è diventata, negli ultimi anni, un centro per i militanti islamici pachistani. Oggi questa terra idillica e pacifica brucia.

A questo punto Fatima alza la voce, come se per evitare di piangere avesse deciso di gridare.

— Perché la pace di questa valle è stata distrutta? Perché l'obiettivo è colpire la gente innocente? Perché rovinano il nostro futuro? Le scuole non sono più luoghi di apprendimento ma di paura e di violenza. Chi risolverà i nostri problemi? Chi restituirà la pace alla nostra valle? Io penso che non lo farà nessuno. Nessuno. I nostri sogni sono stati infranti, e lasciatemelo dire, noi siamo a pezzi.

Ad ascoltarla, in cortile, c'è anche un bambino dell'asilo, tra i muri verde acqua sovrastati dalla ringhiera di ferro. Non si capisce che ci faccia lì, tutto solo, ma nessuno se lo chiede: in un giorno come quello ogni logica sembra scomparire.

Al di là della ringhiera si vedono solo i monti, in lontananza. Malala ripensa a quando era piccola lei, e guardava con curiosità le ragazze più grandi durante le lezioni.

— Valle di Swat! — grida, facendosi prendere dall'entusiasmo. E subito le sue compagne rispondono in coro: — *Zindabad!*

— Valle di Swat! — ripete Malala. E le altre, con una sola voce, le vengono dietro ancora una volta: — Zindabad! — che vuol dire "viva per sempre", e suona come un giuramento solenne che si fanno l'una all'altra.

La campanella segnala che è arrivata la fine della ricreazione. Non è una vera campanella, ma un'insegnante che picchia un martelletto contro un disco di metallo appeso in cortile.

Oggi suona più tardi del solito.

La signora Aghala le ha lasciate giocare più a lungo. Forse è il suo regalo per l'ultimo giorno di scuola?

Prima di tornare a casa, le amiche si abbracciano con più calore che mai. E nonostante la tristezza, ridono, un po' per l'emozione della telecamera di Jawad fissa su di loro, e un po' per allontanare la solitudine che, lo sanno già, seguirà questo momento. Stringendola a sé, Malala fa una promessa solenne a Fatima: — Forse ci vorrà tempo, ma un giorno la nostra scuola riaprirà.

Quando esce dal cancello e se lo chiude alle spalle, esclama a voce alta: — Arrivederci, classe!

Non appena la telecamera smette di riprenderla, però, si volta un attimo a osservare l'edificio che fino a oggi è stato la sua seconda casa.

E sente che potrebbe essere davvero l'ultima volta.

Noia

Se un anno fa qualcuno le avesse detto: "Le vacanze diventeranno una brutta cosa, anzi una cosa insopportabile", Malala non ci avrebbe mai creduto. Invece adesso si annoia.

Tutte le giornate sono uguali. Cominciano e finiscono con lunghe notti di esplosioni che la svegliano di continuo.

La mattina può alzarsi anche alle 10, come fa dal giorno dopo la chiusura della scuola, ma che gusto c'è se poi deve restare sempre chiusa in casa?

La cosa più eccitante – e ha smesso molto presto di esserlo – è giocare con le biglie in cortile insieme ai cugini.

La sua soap opera del cuore, *Un giorno il mio principe verrà a sposarmi*, è stata interrotta sul più bello: i talebani hanno bloccato le reti satellitari proprio quando Rani e Yudi, dopo tante peripezie, scambi di persona, e innumerevoli sguardi pieni d'amore, finalmente stavano per sposarsi. Lei l'aveva presentato anche alla mamma e alla nonna, nel villaggio. Ma a palazzo c'era sempre la matrigna del principe che tramava contro di lui.

Forse Malala non saprà mai come va a finire.

Nel pomeriggio vengono degli insegnanti per farle qualche lezione privata, perché non resti indietro con le materie.

A volte Malala gioca un po' con il computer, ma non si diverte più di tanto.

Potrebbe iniziare a leggere un altro libro. Ha appena finito *L'alchimista* di Paulo Coehlo, e le è rimasta impressa quella frase del vecchio re di Salem: "Quando vuoi qualcosa, l'universo intero cospira per aiutarti a realizzarlo".

Di andare a scuola non se ne parla, comunque.

In cinque giorni, i talebani hanno raso al suolo cinque scuole, una delle quali vicino a casa sua.

— Non possiamo correre rischi — dice papà. — Tornerai in classe quando i talebani daranno il permesso via radio a tutte le bambine. — Anche lui, che fino all'ultimo ha sperato che Fazlullah cambiasse idea, ha scelto la cautela.

La mamma si affretta a cambiare discorso. — Mi piace il tuo nome segreto, Gul Makai.

Papà annuisce. — Sai che la preside Aghala qualche giorno fa mi ha portato una copia stampata del tuo diario? Mi detto: "Questa bambina è davvero brava". Io avrei voluto dirle che sei tu, ma non potevo. Ho sorriso e basta.

— D'ora in poi chiamiamola Gul Makai — propone la mamma. Non le è mai piaciuto il nome triste di Malala.

Gul Makai significa "fiore di granturco", ed è anche

il nome dell'eroina di un'antica storia d'amore pachistana: Gul Makai e Musa Khan. È la storia di una ragazza e di un ragazzo che s'incontrano e s'innamorano, ma le loro tribù sono contrarie alla loro unione, un po' come accade a Giulietta e Romeo. E quindi scoppia una guerra. Gul Makai però non si avvelena. Senza perdersi d'animo va dai capi religiosi e, citando il Corano, li convince che quella guerra non ha senso. I religiosi si mettono in mezzo e spingono le tribù a ristabilire la pace. E Gul Makai e Musa Khan vissero felici e contenti.

È solo una fantasia. È chiaro che i genitori non cambieranno mai il nome a Malala: l'identità di Gul Makai deve restare segreta. Difatti, quando arriva Laila, tutti smettono di parlarne. Le due amiche vanno subito in camera, dove la divisa è appesa al chiodo e lo zaino appoggiato al muro. Su un mobile della stanza, spiccano i trofei che Malala ha vinto a scuola, accanto al suo computer.

Le amiche si siedono sulle sedie di plastica e si chinano sul tavolino basso, aprono i libri e cercano di concentrarsi sui capitoli da studiare per le vacanze. Ma come si fa a far finta di niente?

— Secondo te i talebani ce li lasciano fare gli esami a febbraio? — chiede Laila.

— Non lo so — risponde Malala.

A scuola c'è una bacheca su cui ogni anno viene scritto il nome dell'allieva che prende i voti più alti agli esami, e lei immagina che stavolta rimarrà vuota.

— In questi giorni hanno distrutto altre cinque scuole. Quello che non capisco è: perché? — esclama. — Erano già chiuse. Nessuno ha più frequentato le lezioni dopo il giorno stabilito.

— Secondo me l'hanno fatto per vendetta — prova a spiegare Laila. — Ho sentito che l'esercito ha ucciso lo zio di Maulana Shah Dauran. I talebani fanno sempre così. Ogni volta che vengono colpiti, si vendicano sulle nostre scuole. E i soldati cosa fanno? Niente. Stanno seduti nelle loro baracche in cima alle colline, sgozzano le pecore e mangiano a piacimento.

Siccome suo papà fa il panettiere e dal suo negozio passa tanta gente, Laila sente sempre i discorsi degli adulti sui talebani. Ma a volte le voci che girano non sono vere.

Qualche giorno fa, per esempio, si era convinta che Maulana Shah Dauran, cioè il braccio destro di Fazlullah, fosse morto. Mentre in realtà è vivo e vegeto.

E infatti parla in continuazione alla radio.

Raccomanda alle donne di restare in casa e proibisce loro di andare al mercato. È un po' assurdo, visto che, prima di diventare un talebano, aveva anche lui una bancarella al bazar.

Avverte gli ascoltatori che le scuole, sia femminili che maschili, usate come basi dall'esercito verranno attaccate.

Annuncia che tre ladri saranno frustati e invita tutti i cittadini ad assistere allo "spettacolo".

— Ma perché i soldati non ci difendono? — si chiede Malala. — Perché non vanno ad arrestare i talebani? Durante le esecuzioni pubbliche, per esempio… Sanno che possono trovarli lì.

Sembrerebbe logico, come i problemi di matematica assegnati a Malala e Laila per le vacanze. Ma i comportamenti dei grandi, a volte, seguono calcoli diversi, e sono davvero incomprensibili.

In viaggio

L'unica cosa positiva legata alla guerra a Swat è che il papà ha cominciato a portare Malala e la famiglia in viaggio più del solito. Vanno a trovare i parenti e gli amici: così cercano di prendere fiato, mentre la tensione soffoca sempre di più la valle.

Presto andranno finalmente a Islamabad, la capitale. Papà l'ha promesso e lei non sta nella pelle.

Malala ha sempre desiderato viaggiare: sa così poco su quello che c'è là fuori, al di là delle montagne e delle valli del nord del Pakistan. Certo, ha imparato tantissime cose dai libri, ma vuole vederle con i suoi occhi.

Ora che è arrivato il momento di partire, però, è preoccupata. Per uscire dalla valle bisogna superare i posti di blocco dei talebani, che fermano i viaggiatori e li perquisiscono, tenendoli sotto tiro con i fucili d'assalto AK-47.

Lungo il tragitto, Malala setaccia con lo sguardo il paesaggio, in cerca delle postazioni dei miliziani. Ma quando ne appare una, nota subito che gli uomini non hanno la barba lunga né il turbante come si aspettava lei: portano uniformi verdi. Sono i soldati dell'esercito pachistano.

Fanno scendere papà.

Gli chiedono di aprire il bagagliaio.

Seduta sul sedile posteriore, Malala cerca di stare tranquilla.

Soltanto quando l'auto si allontana dalla valle, lasciandosi alle spalle tutti quei fucili e il cartello di benvenuto "Sorridi, sei a Swat", lei chiude finalmente gli occhi e si rilassa.

Si fermano a Peshawar, per un tè a casa di alcuni parenti, prima di riprendere il viaggio per la valle di Bannu.

Seduta su un letto di corda, Malala guarda fuori: il prato è delimitato da cespugli verdi e da alberi di cachi completamente spogli. Suo fratello Atal sta giocando in giardino. A un certo punto il papà gli si avvicina e chiede, curioso:

— Che gioco è?

— Sto scavando una tomba — risponde Atal, come se fosse la cosa più ovvia del mondo. Papà lo guarda in silenzio.

Per andare a Bannu, Malala e i suoi prendono un pullman alla stazione. È così vecchio che sembra muoversi per miracolo. L'autista suona il clacson in continuazione, eppure suo fratello Khushal, quello di dieci anni, riesce a dormire tranquillamente, con la testa appoggiata contro la spalla della mamma.

"Beato lui, dormirebbe anche in piedi!" sta pensando Malala, quando un boato lo sveglia di soprassalto.

— Una bomba? — chiede Khushal spaventato. No, era solo una buca nella strada. Nell'istante in cui la ruota ci è finita dentro, l'autista ha schiacciato il clacson con forza, amplificando il rumore.

Arrivati a Bannu, alla stazione trovano un amico di papà che li aspetta.

Insieme visitano il mercato e poi il parco. Malala però non riesce a concentrarsi sulle stoffe e le altre mercanzie in vendita. Ad attirare la sua attenzione sono, piuttosto, le donne: ne vede tante in giro e tutte coperte dalla testa ai piedi da ingombranti burqa azzurri o bianchi. Anche la mamma se l'è messo per uscire, mentre Malala si è rifiutata.

— Non ci riesco. Volete che finisca addosso a qualcuno?

A Swat si racconta che, un giorno, una donna in burqa sia inciampata e caduta per terra.

Uno sconosciuto le offre la mano, per rimettersi in piedi. "Fratello, niente darebbe più piacere al Maulana Fazlullah" replica lei, rifiutando l'aiuto. Se avesse accettato, rischiavano di finire entrambi sotto la frusta dei talebani.

Più tardi, sulla strada da Bannu a Peshawar, Laila telefona a Malala.

È il 2 febbraio.

La scuola, oggi, avrebbe dovuto riaprire dopo le vacanze. O almeno, così era stato previsto prima che i talebani imponessero le loro regole.

— I combattimenti qui a Swat sono sempre più terribili. E tu? Tornerai? — le chiede Laila.

— Sì — risponde Malala — è solo un viaggio. Torneremo presto!

— Mio padre dice che solo oggi sono morte trentasette persone nei bombardamenti. Trentasette. Forse... non ti conviene tornare.

Quando arrivano a Peshawar ormai è sera tardi. Passano sotto i rami scheletrici degli alberi ed entrano stanchi nella casa dei parenti. Malala accende il televisore: il telegiornale sta parlando proprio della valle di Swat.

Sono le immagini, più delle parole, a colpirla.

La gente abbandona la città a piedi, trasportando pochi averi in borsoni e sacchetti.

Un autobus rosso con la scritta "Allah" è così pieno che alcuni viaggiatori si sono seduti sul tetto, pur di partire.

E poi camion, pick-up, trattori carichi di famiglie in fuga. Uno trasporta sul retro persino una mucca.

Il papà si siede accanto a lei, con uno scialle di lana sulle spalle, e un libro sulle ginocchia.

"Le persone di solito non lasciano la propria casa volontariamente" riflette Malala. "Solo la povertà o l'amore le portano a fuggire così in fretta."

Quelle scene sono troppo tristi, Malala cambia canale.

— Vendicheremo l'assassinio di Benazir Bhutto — sta dicendo una donna su un'altra rete.

Benazir Bhutto è stata la prima donna a prendere il potere in Pakistan, nel 1988, nove anni prima che Malala venisse al mondo.

Il padre di Benazir era primo ministro del Paese. Mentre la figlia studiava all'estero, fu arrestato e impiccato. Allora Benazir seguì le sue orme, entrò in politica e diventò premier a sua volta.

Più tardi fu accusata di essere corrotta. Lei si dichiarava innocente, lasciò il Pakistan. Tornata nel 2007, stava parlando a un comizio elettorale, mentre la folla l'acclamava, quando un cecchino le sparò. Seguì un'esplosione. Quella sera Benazir perse la vita.

Le autorità puntarono il dito contro i talebani, ma il governo pachistano fu accusato di non averla protetta.

Storie di complotti e violenza: il Paese ne è pieno. Ma Malala continua a pensare alla sua valle.

Ormai se ne stanno andando tutti via, non solo i più ricchi, ma anche i poveri che non riescono nemmeno a comprare le scarpe ai figli.

Come la signora Bibi, che veniva a fare il bucato a casa loro una volta alla settimana. Ha deciso di abbandonare Mingora e tornare con la famiglia nel suo paesino di origine: "Ho assistito a troppe cose terribili. Non riesco più a vedere la bellezza della valle."

Papà mantiene la promessa, e il giorno dopo arrivano nella capitale. Malala rimane a bocca aperta.

La trova splendida: le casette ordinate e le strade ampie, i monumenti maestosi e le ragazze che vanno a lavorare. Eppure manca qualcosa: la bellezza di Islamabad è artificiale, non naturale come quella di Swat.

Visitano il museo di Lok Virsa: statue, vasi, oggetti tradizionali. Anche a Swat c'è un museo simile, ma chissà se rimarrà in piedi dopo i combattimenti.

All'uscita, comprano i popcorn da un anziano venditore. Papà gli chiede se sia di Islamabad.

— Di Islamabad? — sbotta l'uomo in dialetto pashto. — Credete che un pashtun possa mai sentirsi a casa in questa città? Vengo da Momand. Lassù si combatte, per questo sono stato costretto a lasciare la mia terra e a trasferirmi qui.

Mentre lo ascoltano, Malala si accorge che i suoi genitori hanno gli occhi pieni di lacrime.

Manca qualcosa, lì, e non è soltanto la natura.

Islamabad non è Swat. Non è la loro casa.

"Volevo partire per scoprire il mondo o volevo solo fuggire?" Mentre Malala si chiede quale sia la risposta più onesta, si rende conto che la bellezza della sua terra le manca moltissimo, ed esclama: — Papà, sono pronta a tornare.

Casa dolce casa

Esercito, talebani, missili, artiglieria, polizia, elicotteri, morti, feriti: sono questi, ormai, gli unici vocaboli sulla bocca di tutti. Forse un'amnesia collettiva ha cancellato tutte le altre parole.

Nel frattempo le strade sono sempre più vuote, le case danneggiate dai bombardamenti, i negozi chiudono sempre prima. Qualcuno ha persino rubato in casa di Malala, mentre erano in viaggio.

— È colpa mia: hanno usato la scala che avevo appoggiato alla finestra per papà — dice la mamma. — Una volta, una cosa del genere non sarebbe mai accaduta a Mingora. Grazie a Dio, non c'erano soldi né gioielli! Hanno preso solo la televisione.

Non è un dramma. Da tempo la TV ha smesso di essere una distrazione: trasmette soltanto brutte notizie. Però era pur sempre una finestra sul mondo oltre la valle. Ora non resta altro da fare che ascoltare Maulana Radio.

Le minacce di bombe e attentati continuano, anzi sono sempre più pesanti. Eppure una volta Fazlullah, in lacrime, chiede la fine delle operazioni militari, invita la gente che è fuggita a tornare alle proprie case, a non abbandonare la valle. Sarà sincero? Vuole davvero negoziare col governo per la pace?

E in caso contrario, quanto ancora potranno resistere Malala e la sua famiglia?

— Mamma, perché gli attentatori si fanno saltare in aria soprattutto di venerdì? — chiede Malala.

— Perché è il giorno santo nell'Islam. Credono che se lo fanno di venerdì, Dio sarà ancora più orgoglioso di loro.

Maulana Fazlullah incita i suoi seguaci alla jihad, a combattere nel nome dell'Islam contro il governo e l'esercito pachistani, e addestra anche squadre di "martiri": l'insegnante di religione, però, ha spiegato a Malala che quello non è il vero Islam.

Stasera la mamma ha preparato una cena succulenta di *kebab* grigliati accompagnati da *salsa raita*, fatta con lo yogurt, e i cetrioli, le cipolle, il pomodoro tagliati fini fini, più un pizzico di cumino. Ma si sente l'assenza di papà, che spesso dorme fuori casa per non mettere in pericolo la famiglia.

La situazione non è mai stata così delicata: il governo sta cercando di stabilire un accordo con i talebani per riportare la pace a Swat.

— Domani voi due tornate a scuola e dovrete raccontarmi tutto! — dice Malala ai fratelli.

— Ma io non ci voglio andare! — esclama Khushal corrucciando la fronte. — Non ho fatto i compiti e, con la sfortuna che ho, mi interrogheranno di sicuro.

— Neanch'io ci voglio andare! — scoppia a piangere il piccolo Atal. — Non voglio essere rapito!

— Se è per questo... — interviene la mamma — ... dicono che domani l'esercito dovrebbe imporre il coprifuoco.

— Davvero? — chiede Khushal, con la faccia improvvisamente illuminata. E si mette a saltare di gioia.

È proprio assurdo: Malala desidera andare a scuola più di ogni altra cosa, mentre Khushal vuole evitarlo al punto di esultare perché l'esercito proibisce a tutti di uscire.

Più tardi, dopo aver detto le preghiere, i fratellini si addormentano: nemmeno le bombe riescono a svegliarli.

Malala invece ripensa alla signora Bibi e a quella sua frase: "Non riesco più a vedere la bellezza della valle."

Va in camera della mamma e si sdraia accanto a lei, che dorme già.

Il calore del suo corpo e il suo profumo la avvolgono, facendola sentire come un uccellino nel nido.

Il nome della mamma, Toorpekai, significa "capelli neri", e Malala immagina quella chioma di seta circondare lei, i suoi fratelli, l'intera casa immersa nel buio, e proteggerli dalle bombe e dal sangue.

La pace fragile

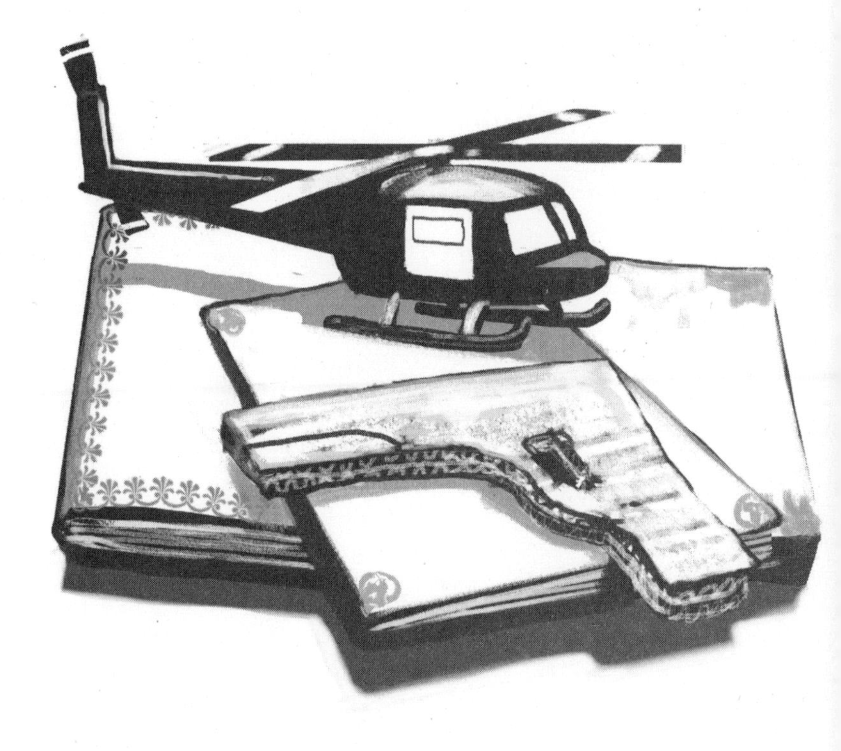

— Fuoco! — grida Khushal, manovrando un elicottero giocattolo sopra i cattivi immaginari schierati sulla moquette. Intanto Atal gli punta contro una pistola di carta.

Malala interrompe i loro giochi. È il momento di fare il terzo grado al fratello più piccolo, per scoprire com'è andato il suo rientro a scuola.

— Sei — conta lui, aiutandosi con le dita delle mani: è il numero di bambini della sua età che si sono presentati in classe. Cinque maschi, una femmina.

Sì, perché alla fine i talebani hanno dato il permesso di frequentare la scuola solo alle più piccole, alle bambine delle elementari. Forse la ragione è che la gente si è talmente arrabbiata, quando hanno vietato a tutte le femmine di studiare, che i talebani hanno pensato bene di tornare, almeno in parte, sui propri passi. Ora dicono addirittura che devono decidere se possono continuare gli studi anche le ragazze più grandi. Stanno prendendo tempo.

"A furia di aspettare, però" pensa Malala "la mia scuola rischia di chiudere."

— Oggi c'erano settanta allievi su settecento — dice papà, entrando, come se le avesse letto nel pensiero.

— Ciao, papà! — I fratellini corrono ad abbracciarlo.

— I miei monellacci — sussurra lui spettinandoli a carezze.

Atal lo tira per la camicia e proclama: — Voglio costruire una bomba atomica.

Padre e figlia si scambiano uno sguardo da adulti. Ormai la guerra è al centro dei giochi e anche delle preghiere dei bambini, compresi i suoi fratelli.

Una sera Malala ha sentito Khushal che sussurrava:

— Dio, porta la pace a Swat e non permettere mai che gli Stati Uniti o la Cina ci governino.

Con il passare dei giorni, la situazione peggiora.

Una mattina, il sole spunta di nuovo dalle montagne, dopo lunghe piogge: è uno di quei momenti in cui la valle svela tutto il suo splendore. Ma per gli esseri umani non cambia niente.

A colazione la mamma fa il bollettino dei morti: — Un autista di risciò e una guardia notturna assassinati la notte scorsa.

Si aggiungono al conto delle millecinquecento persone uccise negli ultimi due o tre anni. Nessuno chiede più "perché?" Sembra una domanda inutile.

Una domenica, mentre amici e parenti venuti da Mingora e da Peshawar pranzano a casa di Malala, iniziano i bombardamenti più forti che lei abbia mai sentito.

Corre intorno al tavolo, per gettarsi tra le braccia di suo padre. — Papà, aiuto!

Ma lui la consola: — Non aver paura, Malala, sparano per la pace!

— Ma sembra la fine del mondo!

— La gente spara in aria con i fucili, ma lo fanno per esprimere la loro gioia. Il governo e i miliziani stanno per firmare un accordo, è scritto sul giornale.

Più tardi, quella sera, i talebani lo confermano alla radio, e allora tutti cominciano a crederci sul serio.

Gli spari si fanno ancora più forti.

Mamma e papà scoppiano in lacrime di felicità. Anche Khushal e Atal hanno gli occhi umidi.

È il segnale che l'intera valle aspettava da tempo. Swat è stanca: rivuole la sua normalità.

Il giorno dopo il mercato è affollato, la gente allegra e il padre di Malala, insieme ad altri uomini, distribuisce dolci per strada.

Persino restare imbottigliati nel traffico pare bello: è così "normale"...

L'insegnante di scienze che, da quando la scuola è chiusa, viene a farle lezione in casa, si prende un giorno libero per partecipare a una festa di fidanzamento.

— Anche gli elicotteri verranno finalmente giù — promette un cugino. Per qualche minuto, lui e Malala restano con il naso all'insù a fissarli, mentre volano bassi sulla città.

Squilla il telefono. È Fatima.

— Secondo te, la scuola adesso riaprirà? — chiede a Malala. – Io non ne posso più di stare imprigionata in casa.

— Riaprirà di certo! Dobbiamo solo aspettare.

Nei giorni seguenti, l'intera valle sembra ascoltare le preghiere di Malala. La calma cala su Swat: senza i bombardamenti la notte si dorme bene, anche se gli elicotteri non sono affatto scomparsi.

Poi una sera, i giochi di Malala e dei suoi fratelli vengono interrotti.

Un gran subbuglio in cucina.

La mamma si è sentita male.

Papà le ha dato la notizia del giorno: Musa Khankhel è morto.

Musa era un giornalista. La sua penna non risparmiava nessuno, né i talebani né l'esercito.

"Qualcuno dovrà pure raccontare la verità" diceva.

Stava seguendo una marcia per la pace dei talebani attraverso Mingora. La sua troupe televisiva l'ha perso di vista. È stato ritrovato alcune ore dopo, assassinato a colpi di pistola.

La mamma resta a letto per giorni.

— Perché me l'hai detto? Non le voglio sapere queste cose! — rimprovera il marito. Forse teme di sapere chi sarà la prossima vittima: qualcuno più vicino alla famiglia?

Lo stesso giorno dell'assassinio di Musa, infatti, Malala è apparsa in TV. È stata lei a chiedere al giornalista di farla parlare della sua speranza di tornare a scuola.

Avvolta in un saadar bianco ha detto con voce tranquilla: — È dal 15 gennaio che aspetto. Adesso, dopo l'accordo di pace, non vedo altri ostacoli. Ma comunque vada, non possono fermarmi: mi basta un posto dove sedermi e continuerò a studiare.

— Non hai paura?

— Non ho paura di nessuno.

Ora Musa è morto e, con il suo assassinio, ogni speranza di pace si è polverizzata.

Ormai la mamma non prepara più nemmeno la colazione, se ne occupa papà e ogni tanto Malala gli dà il cambio in cucina. Aiuta a badare ai fratelli, soprattutto al più piccolo che ha bisogno di una mano per fare i compiti e per vestirsi prima di andare a scuola.

— D'ora in poi non parleremo più di guerra in questa casa! — ordina Malala ai fratelli. — Basta scavare tombe, basta giocare con gli elicotteri e le pistole, basta bombe atomiche. D'ora in poi qui si parla solo di pace.

È l'unica arma che ha per tentare di proteggere la sua mamma: non si era mai resa conto di quanto fosse fragile. Ma cosa non lo è, lì a Mingora?

Ritorno a scuola

Febbraio 2009

Il cancello nero, l'insegna azzurra e rossa, le scale ripide, le sedie di legno: e una in particolare, in seconda fila, l'ultima a destra, la sua.

Viva la scuola!

Stava quasi per perdere le speranze. Ma poi, il 21 febbraio, Maulana Fazlullah in persona l'ha annunciato alla radio: le ragazze possono tornare a studiare fino agli esami del 17 marzo, purché indossino il burqa.

Maulana Fazlullah ha detto anche molte altre cose: ha parlato del sacrificio dei talebani nel nome dell'Islam e della sconfitta inevitabile che attende gli Stati Uniti in Afghanistan. Ma per Malala contano queste parole: "La scuola riapre".

All'assemblea del mattino le ragazze non riescono a star ferme e si abbracciano felici. Alcune indossano la divisa, altre gli abiti normali. Ci sono solo dodici delle ventisette compagne di classe di Malala. Le assenti sono ancora lontane dalla valle, come Zakia, oppure i genitori hanno paura di lasciarle uscire di casa.

Quando gli elicotteri volano bassi sul cortile, le studentesse li salutano con la mano e i soldati ricambiano. Ma sembrano stanchi, anche di agitare le braccia.

All'arrivo della preside, le ragazze si ricompongono all'istante.

— Non dimenticate mai il burqa — raccomanda per prima cosa. — È la condizione dei talebani.

Poi chiede: — Chi di voi ascolta Maulana Radio?

Segue un mormorio.

— Io la ascoltavo, ma adesso non più — risponde una bambina.

Laila alza la mano: — Onestamente, io lo faccio per sapere cosa succederà.

Fatima interviene perentoria: — Secondo me, solo quando quella radio verrà distrutta a Swat ci sarà davvero la pace.

— Vi comunico che in questo istituto non ascoltiamo Maulana Radio. Tra queste mura è bandita.

Maulana Fazlullah emana i suoi editti contro le scuole? E allora la preside impone un divieto contro i talebani. A Malala viene da sorridere. La signora Aghala ha ventotto anni, e anche se non è madre, tutte si sentono un po' figlie sue.

Nelle mattine seguenti, il numero delle ragazze continua ad aumentare: nella classe di Malala arrivano a diciannove.

Gli esami si avvicinano e c'è molto da studiare. Anche a casa lei passa tanto tempo sui libri.

Il mercato è sempre più affollato, i negozianti hanno ritrovato il coraggio e tengono i negozi aperti fino a tardi, facendo attenzione a chiudere i battenti all'ora delle preghiere. Sugli scaffali sono ricomparsi i CD musicali.

Papà compra due galline, che diventano subito le compagne di giochi preferite dei figli.

Piano piano, la mamma si riprende dallo shock.

Si studia e si gioca, si fanno compere e si riesce a non parlare troppo dell'esercito e dei talebani.

Sembra quasi che tutto sia tornato come una volta.

In quei giorni mutevoli di marzo, però, in cui l'inverno punta i piedi prima di cedere il passo alla primavera, ogni cosa diventa incerta.

— Forse l'accordo di pace non durerà a lungo — comincia a mormorare la gente.

— Forse era soltanto una pausa nei combattimenti.

I miliziani continuano a girare armati e rubano gli aiuti inviati ai profughi.

Un giorno Malala sente dei colpi d'artiglieria: i talebani uccidono due soldati, poi sostengono che la colpa è dell'esercito perché, nonostante la tregua, continua a mandare pattuglie.

— Te lo ricordi Anis? — le racconta Fatima. — Mio cugino, quello che era in classe con noi all'asilo? Ora si è messo a lavorare per i talebani. L'ha visto mio fratello, e non credeva ai suoi occhi. Di mattina è impiegato in fabbrica. Di notte, con le Reebok ai piedi, prende il fucile e si unisce a Fazlullah e ai suoi. Perquisisce le auto.

— Ma perché lo fa? — chiede Malala.

— Mio fratello, i suoi genitori, tutti gli fanno la stessa domanda… e sai cosa risponde lui? Che non è un talebano, che lo fa per guadagnare di più.

— Non ci posso credere…

— E pensare che, da piccola, credevo che un giorno ci saremmo sposati — sospira Fatima.

Un pomeriggio, Malala e la mamma si fanno accompagnare da un cugino al Cheena Bazar, come ai vecchi tempi.

Sono un po' spaventate. A ben guardare, molti negozi sono falliti o espongono i cartelli dei saldi fino a esaurimento scorte. Ne approfittano per fare tanti acquisti, ma è inquietante che ci siano così poche donne con cui sgomitare per accaparrarsi le offerte migliori. Ogni tanto Malala, tutta bardata, si lamenta. Quand'è in strada è abituata a portare il saadar, che copre il corpo, ma non il viso.

— Mamma, il burqa non mi piace, è così difficile camminarci dentro!

Quando entrano nella solita bottega dove comprano sempre le stoffe, il proprietario le guarda terrorizzato.

Poi scoppia a ridere. — Per un attimo vi avevo preso per due kamikaze travestiti da donna!

Né il negoziante né Malala o la mamma sentono l'esplosione, ma il giorno dopo i giornali danno la notizia: a un incrocio vicino al bazar, davanti a un posto di blocco dell'esercito, qualcuno si è fatto saltare in aria.

Era Anis.

Malala viene a saperlo da Fatima.

— Me ne vado a Rawalpindi — le dice l'amica in classe.

Fatima, così combattiva. Fatima, la sua rivale nei dibattiti. È la quinta che parte, del gruppo delle sue amiche più care.

— Ma Fatima... — replica Malala. — C'è l'accordo di pace e la situazione migliorerà.

— Non ne sono più così sicura — si limita a rispondere.

È un dolore troppo grande il suo. Anis, il suo cugino prediletto, non c'è più.

Forse, all'inizio, Anis frequentava i talebani per far soldi, come diceva a tutti, ma poi qualcuno l'ha convinto: gli hanno promesso il paradiso, e diciannove vergini, e in cambio lui si è fatto saltare in aria.

Una volta, da giovane, anche il papà di Malala aveva rischiato di fare una fine simile.

Il suo maestro aveva cercato di convincerlo a combattere nel nome della fede. Lo facevano in tanti, la chiamavano jihad, la guerra santa. Il papà di Malala faceva incubi in continuazione. Era religioso: pregava cinque volte al giorno. Era un nazionalista: credeva in una grande terra autonoma per i pashtun. Ma alla fine aveva capito che l'insegnante voleva usare i suoi ideali per fargli il lavaggio del cervello.

Per questo ha deciso di dedicare la vita a insegnare alle bambine e ai bambini di Swat.

Anche Anis era uno di quei bambini, all'asilo, ma ciò non è bastato a salvarlo.

Il professore di chimica comincia a spiegare, e scrive alla lavagna. IL NUMERO DI OSSIDAZIONE DI TUTTI GLI ELEMENTI ALLO STATO LIBERO È ZERO...

Gli esami vanno bene, specialmente il compito di scienze. Basta rispondere correttamente a otto domande su dieci: Malala le sa tutte. È contentissima, ma solo quando le danno la notizia che Zakia è tornata le sembra davvero di toccare il cielo con un dito.

— Non vedevo l'ora! — le dice l'amica avvolgendola con un abbraccio fortissimo nel suo saadar a strisce viola e azzurre. — Però è incredibile come sono cambiate le cose, qui. Una volta, dopo la scuola, andavo da sola dalla nonna e a studiare il Corano alla madrassa... Adesso i miei genitori dicono che è troppo pericoloso.

"È vero, niente è più come una volta" pensa Malala.

Ma proprio per questo lei, Zakia e le altre non possono permettersi di perdere anche l'amicizia.

L'esilio

Maggio-luglio 2009

È primavera. I fiori, appena sbocciati, hanno perso subito i loro petali. A maggio la pace è già finita.

— Non abbiamo scelta... dice papà mentre insieme alla mamma infila in fretta e furia i vestiti in valigia.

— Ma siamo innocenti! Perché dobbiamo andarcene?

— Non ti preoccupare Malala, torneremo. Ma ora devi essere coraggiosa.

I talebani hanno esteso il loro controllo anche su Buner, dove un tempo la mamma aveva comprato braccialetti e orecchini. Gli scontri con i soldati si sono fatti sempre più frequenti e l'esercito ha annunciato una nuova offensiva per riconquistare Swat.

"Operazione Retta Via" si chiama. Gli abitanti devono abbandonare la valle.

Più di due milioni di persone lasciano le loro case. Non hanno scelta, se vogliono salvarsi. Come se non bastasse, dopo aver criticato i talebani apertamente sulla stampa, il padre di Malala è ormai nella loro lista nera: un comandante, alla radio, ha chiesto la sua testa.

Addio, Mingora.

Stavolta Malala non fantastica su ciò che l'attende al di là dei monti. I suoi occhi indugiano su ciò che abbandona: una città fantasma.

Insieme alla mamma e ai fratelli, Malala va a casa di una zia, a Haripur, poco più a nord di Islamabad. Papà invece si stabilisce a sei ore di distanza, a Peshawar: qui dividerà una stanza con Sajid e con il proprietario di un'altra scuola per bambine di Swat.

Peshawar è una grande città, è il capoluogo della regione: lì possono organizzare proteste in piazza e fare interviste per tenere alta l'attenzione sulla valle. Il documentario del giornalista americano e di Jawad è utile proprio a questo, e i due continuano a riprendere la vita quotidiana della famiglia, facendo la spola tra le due città.

— Una madre non si accorge del suo bambino a meno che non pianga — ama ripetere papà. — Se non piangi, non ottieni niente, in un paese del Terzo Mondo come il nostro.

Ora che non vivono più insieme, a Malala il papà manca moltissimo. Ha nostalgia dei suoi discorsi, dei suoi racconti. Ogni tanto viene a trovarli a Haripur, ma per lo più i contatti sono limitati a qualche telefonata.

All'inizio il papà dice a Malala che la stabilità tornerà prestissimo, che l'operazione dell'esercito finirà nel giro di due o tre giorni.

E lei, lasciandosi contagiare dal suo ottimismo, lo riferisce alla madre: — Papà dice che vinceremo e torneremo a Swat! Mamma, vedrai, io andrò a scuola, un giorno diventerò dottore, e cambierò il destino della nostra gente.

Passano uno, due, tre giorni…

Papà dice a Malala che l'operazione finirà in una settimana.

E lei si sforza di immaginare cosa farà appena tornata a casa. "Per prima cosa, veloce veloce, andrò nella mia stanza, a controllare i libri e lo zaino ovviamente. Poi andrò a rivedere la scuola. Ma prima di tutto c'è la mia stanza."

Passa una settimana…

A casa della zia c'è una pernice. La tengono in cortile, dentro una gabbietta di legno. A volte la gente in Pakistan e in Afghanistan le alleva per i combattimenti, oppure come animali domestici. Ma quando sono libere di correre nei prati, oltre che di volare, non c'è creatura che si muova con più garbo. Così scrivono i poeti, e non c'è complimento più grande per una ragazza che dirle che ha la grazia di una pernice. Malala le porta da bere, e ogni volta ripensa alle galline rimaste nel cortile di casa sua. Chissà se sono ancora vive, oppure se qualcuno le ha uccise. Anzi, a pensarci bene, chissà se la sua casa e la sua scuola sono ancora in piedi. C'è una base dell'esercito lì vicino. È possibile che vengano bombardate. Forse è già accaduto, forse sono ormai ridotte a un mucchio di macerie, di pietre e di piume di gallina, ma loro non lo sanno ancora.

Passano anche la seconda settimana, la terza, la quarta...

Le autorità annunciano in TV che la madrassa di Fazlullah è stata distrutta. Un passo verso la pace?

Quando elogiano i successi dell'Operazione Retta Via, Malala vede nella sua testa i ventuno comandanti talebani ancora vivi. Non crede nella violenza, ma sa perfettamente che loro non smetteranno mai di combattere: fino alla vittoria o alla morte.

A cominciare da Fazlullah che continua a dire alla radio: "Sto bene, non ci sono stati attacchi contro di me! Continuate la jihad e non ascoltate la falsa propaganda del governo e degli infedeli!"

I talebani chiamano infedeli i soldati, i soldati chiamano miscredenti i talebani. Può durare per sempre.

A casa della zia non ci sono elicotteri né bombe. Ma il silenzio spacca i timpani.

Malala è annoiata e arrabbiata. Ha lasciato tutti i suoi libri a Mingora. Si siede davanti all'altalena, vestita di rosa, e guarda i fratelli che si dondolano.

A volte gioca con loro, altre volte si siede sul letto, col ventilatore che ronza alle sue spalle, i piedi al sole e la testa nella penombra.

Si sente sradicata, disorientata. Poi guarda il fratellino Atal che fa la ruota nel prato e pensa che, in fondo, ci sono persone che stanno molto peggio di loro: ammassate nei campi profughi.

All'inizio di luglio, i campi profughi sono ormai stracolmi. Qualcuno dice che si nascondono lì anche molti talebani, che aspettano la fine delle operazioni dell'esercito per tornare tranquillamente a Swat col resto della gente.

"Come posso aiutare il mio popolo? Come posso cambiare davvero il loro destino?" si domanda Malala, mentre dà da bere alla pernice.

Si dice che di notte le pernici fissino la luna, seguendola nel suo tragitto nel cielo. A volte la gente le libera per fare una buona azione, nel nome di Allah.

— Mamma, ho un nuovo sogno! — esclama un giorno. — Devo fare politica, per servire il nostro Paese. Ci sono troppe crisi. E io voglio risolverle, per salvare il Pakistan.

— Malala — le dice la mamma con dolcezza. — Lo sai, puoi fare quello che vuoi della tua vita.

In uno di quegli eterni giovedì d'estate, mentre lei e i suoi fratelli giocano a cricket in cortile, la mamma li chiama in casa. Il primo ministro ha appena fatto l'annuncio tanto atteso: possono tornare a Mingora!

I talebani sono stati cacciati dalle città della valle di Swat, si sono dispersi nelle campagne. Per Malala è il regalo più bello.

Quella domenica è il suo compleanno: dodici anni. A casa della zia le preparano una torta di compleanno.

E papà? Lui non c'è, e non telefona. Eppure gliel'ha

ricordato lei stessa il giorno prima. Alla fine gli manda un SMS, in inglese:

IL MIO COMPLEANNO È STATO FESTEGGIATO (DAGLI ALTRI). SONO MOLTO FELICE GRAZIE A LORO, NON GRAZIE A TE.

Quando papà finalmente la chiama per scusarsi, lei gli fa promettere che comprerà il gelato a tutti. Vaniglia: sente già il sapore in bocca. Sapore di casa. E di pace.

Benvenuti in Pakistan

Borsoni, cuscini, coperte e un grosso sacco di frumento che, come profughi, hanno ricevuto da un'organizzazione internazionale: papà carica tutto sul retro del pick-up rosso fuoco. Poi salta a bordo, facendo attenzione a non spiegazzare il camicione del suo *kameez partoog*.

Si parte.

Attraversano pianure verdi punteggiate da alberi sparsi.

Percorrono stradine schiacciate sul fianco della montagna oppure scavate nella roccia.

Incontrano camion che vanno e vengono in entrambe le direzioni e auto cariche di passeggeri.

A un certo punto, dietro un angolo sbuca una scritta verde a caratteri cubitali: SWAT CONTINENTAL HOTEL.

A ogni curva, a ogni carezza del vento che soffia dal finestrino, Malala sente che la sua casa si fa più vicina.

Il giornalista americano e Jawad non li hanno abbandonati nemmeno durante i tre mesi d'esilio, e anche ora li accompagnano. Riprendono tutto: questo è lo storico ritorno degli abitanti a Swat.

Il professor Sajid si è già precipitato a Mingora: dice che persino i barbieri sono tornati, e davanti alle loro botteghe c'è la fila. Ci mettono un bel po' a radere i clienti, perché le barbe sono lunghissime.

Appare il fiume. Calmo, piatto, con poche increspature bianche.

Anche l'aria è diversa: è quella della sua valle, si avverte l'aroma inconfondibile dei campi di riso.

Papà si mette a ridere.

No, piange.

Anzi, tutt'e due le cose.

Poi si lascia andare sullo schienale.

Strabuzza gli occhi umidi, inghiotte le lacrime, è sopraffatto dalle emozioni.

— Abbiamo vinto, il pacifico popolo di Swat ha vinto! — dice.

Malala osserva tutto con attenzione. In fondo al cuore, però, teme che i loro guai non siano ancora terminati.

Entrano a Mingora, e stentano a riconoscerla.

Nel silenzio spettrale, il pick-up avanza a zigzag tra i mattoni piovuti giù dagli edifici bombardati e le insegne dei negozi finite in strada, tra i bidoni e le cassette di legno schierati ancora a formare trincee e barricate. C'è una camionetta abbandonata in mezzo alla via.

Non c'è anima viva.

Mai, nemmeno a mezzanotte, Mingora era apparsa così deserta.

In una strada assolata, un uomo con la barba bianca è appoggiato a un palo. Il torso è inclinato verso destra, il cappello è storto sulla testa. Sembra che dorma ma, a pensarci, non ci riuscirebbe mai in una posizione così scomoda. Non si sveglia al loro passaggio.

È una specie di spaventapasseri umano, lasciato come avvertimento ai talebani: state alla larga.

I miliziani sono scappati nelle campagne, non sono lontani.

Papà comincia ad aprire il cancello di casa: un giro di chiave, un altro, un'attesa infinita per Malala e i suoi fratelli, che fremono in piedi.

— Molte case sono state derubate — dice papà. Come al solito non nasconde la verità, e forse vuole prepararli al peggio. Atal e Khushal lo seguono subito dentro.

— O mio Dio — mormora papà. Malala sente che il sorriso le si dipinge sul viso, alla vista del cortile, dove le piante sono cresciute senza controllo.

— Sembra una giungla!

— Sì, una giungla — ripete papà. — Ma è bellissimo, è bellissimo!

I fratellini corrono a cercare le galline, fra le travi di legno crollate in cortile.

— Sono qui? — chiede papà.

— No, non ci sono! — grida Atal. Ma resta immobile, con gli occhi fissi in un angolo, in fondo.

Malala si avvicina a passi lenti. C'è un mucchietto di piume in quel punto. Si china a guardare. Marroni, grigie, leggere, soffici, un osso che spunta fuori.

— Le galline sono morte — decreta. Khushal inizia a singhiozzare, lì in piedi, nell'angolo. Lei corre dentro casa.

— Malala? Malala? — la chiama papà.

Lei si siede sul letto, dando le spalle alla porta: non riesce a trattenere le lacrime. Vuole restare da sola, vuole piangere come una bambina, per quella morte insensata che la fa soffrire in un modo che un adulto non potrà mai capire. Ma i giornalisti entrano in camera.

— Malala? — chiama di nuovo papà. Lei si rifugia in un'altra stanza, ma in un attimo la telecamera è di nuovo su di lei. Ecco, tutte le persone del mondo la vedranno piangere, seduta sulla coperta a fiori bianchi del letto dei suoi genitori. Si asciuga gli occhi.

Va a controllare i libri e i quaderni. Li sfoglia. È tutto a posto.

— Le galline sono morte, ma i tuoi libri ci sono — osserva il giornalista americano.

— Sì — risponde lei — penso che i libri siano più preziosi.

Il papà va a vedere la scuola.

Lei e Khushal lo accompagnano. Quindici minuti a piedi, come sempre. La chiave però non funziona.

Papà chiama un ragazzino, lo solleva oltre il muro, in modo che apra il cancello dall'interno.

— Qualcuno ha vissuto qui — nota papà perlustrando le classi. Molte sono state svuotate, le sedie sono ammonticchiate in un'unica stanza, contro una parete con la mappa del Pakistan.

Su una sedia c'è l'impronta di una scarpa.

Mozziconi di sigarette per terra.

Malala decide di investigare. Rovistando tra le carte nell'ufficio di suo padre trova il diario di Fatima, e mentre si chiede cosa ci faccia lì, nota una frase sgrammaticata scritta in inglese, che di certo non è opera della sua rivale nei dibattiti.

"Io Fiero di essere pachistano e un suldatto di un Esercito del Pakistan."

Sfoglia il diario: c'è il disegno un po' infantile di un fucile, e poi pagine e pagine di poesie, in urdu e in inglese: "Alcuni amano uno, altri amano due, io amo una sola, e questa sei tu".

"Deve avere la mia età" immagina Malala. "E non sa cosa sia l'amore."

Una volta era così orgogliosa dell'esercito: pensava che avrebbe protetto la sua scuola. Ora si vergogna di questi militari.

Gli stessi che in un'altra stanza, hanno lasciato una lettera: "Abbiamo perso molte preziose vite di soldati, e tutto a causa della vostra negligenza". Danno la colpa agli abitanti per aver lasciato che Swat cadesse nelle mani dei talebani. "Lunga vita all'esercito pachistano, lunga vita al Pakistan" conclude la lettera.

Nell'aula di matematica, ci sono diversi buchi nelle pareti: probabilmente servivano per sparare. Malala guarda attraverso uno di quei fori, e vede le case dall'altra parte della strada. — I talebani ci hanno distrutto.

Un elicottero sorvola la scuola.

Sul muro di quella classe, uno dei soldati ha scritto in inglese: WELCOME TO PAKISTAN.

Fiore di granturco

Agosto 2009-dicembre 2011

Gul Makai sono io. Ecco, ora lo sanno tutti. Non è più un segreto. Volevo gridare, volevo dire al mondo intero cosa stava accadendo. Ma non potevo. I talebani avrebbero ucciso me, mio padre e tutta la mia famiglia. Sarei morta senza lasciare alcun segno. Per questo ho scelto di scrivere sotto pseudonimo. E ha funzionato, la mia valle è stata liberata.

Malala guarda la propria immagine in TV. Quella bambina che scriveva contro i talebani è diventata una ragazza, che viene invitata continuamente a parlare ai talk show politici e ai salotti televisivi del mattino.

Non esita più, racconta gli anni oscuri e anche le sue speranze per il futuro.

Un mese dopo il ritorno a Mingora, le chiedono chi siano i suoi idoli.

— Mio padre e Benazir Bhutto — risponde Malala.

— Perché Benazir?

— Era una donna politica, una grande donna politica.

Anche Obama, spiega, le piace come leader.

Il marito di Benazir ora è il presidente del Pakistan. Per lui Malala ha parole critiche: — A volte penso che, se sua figlia avesse studiato a Swat, lui non avrebbe permesso che le scuole venissero chiuse.

— E tu, cosa faresti? — le chiede il presentatore.

— Voglio fare politica, voglio servire questa nazione. I nostri politici sono pigri, abbiamo bisogno di leader onesti.

La sua vita le sembra un film.

Un tempo sognava di vedere la valle libera dalle grinfie dei talebani e le ragazze volare spensierate come farfalle. I suoi sogni sono diventati realtà: è felice, felice, felice.

È felice anche quando vede il proprio nome in TV e sui giornali.

Qualche volta aveva fantasticato di diventare famosa, ma mai fino a questo punto. Le chiedono di essere la portavoce di un'assemblea dei bambini di Swat, dove i più piccoli potranno raccontare i loro desideri e problemi. Quando entra nella stanza per la prima volta, tutti si alzano in piedi ad applaudirla.

"Studentessa di Swat" scrivono sotto il suo nome, quando appare in televisione. Poi, col passare dei mesi: "Attivista per i diritti dei bambini".

"Ci sono tante ragazze eccezionali a questo mondo, perché proprio io?" Malala non si sente così speciale, lo era la situazione in cui si trovava: non è facile alzare la voce quando rischi la vita. Se fosse rimasta seduta nella sua cameretta, chi avrebbe salvato la sua scuola? "Dio mi ha dato questo onore e io lo accetto" pensa.

Ora nella sua valle tante cose sono cambiate. Tutti sono liberi di studiare, di giocare, di cantare, di andare al mercato, e le ragazze non hanno paura dei talebani.

Per la festa dell'Indipendenza, il Cheena Bazar è affollato di gente che esulta sventolando la bandiera del Pakistan.

I negozi di DVD riaprono, va forte *Terminator 2*.

Il cinema è pieno di ragazzini che sgranocchiano *samosa* e bevono tè guardando il film pashto *Target*, in cui si spara per quasi tutto il tempo. Malala continua a preferire le commedie romantiche.

Tornano anche i festival all'aperto, con musiche e danze.

Non bisogna farsi troppe illusioni, però. Guardando la TV si potrebbe credere che tutto sia finito. La realtà, tuttavia, è diversa.

Swat non è più il paradiso di un tempo.

La mattina presto è complicato andare a scuola nelle prime settimane dopo il ritorno a Mingora, perché i trasporti pubblici sono vietati. Le allieve fanno lezione nelle tende o sotto gli alberi, sedute sui mattoni che una volta formavano i muri delle classi.

A volte il cuore della città viene chiuso alle motociclette per paura che le usino i kamikaze. In un centro di addestramento della polizia, sedici reclute vengono uccise da una bomba. Un'insegnante dice di tenere ancora il burqa appeso in camera: "Non si sa mai".

Le settimane diventano mesi, e i mesi diventano anni. Le terribili inondazioni dell'estate 2010 spazzano via interi villaggi. Un anno dopo la guerra, molte scuole non sono ancora state ricostruite.

La gente è inquieta anche per le voci di omicidi mirati per mano di soldati: sono stati trovati dei cadaveri abbandonati, e una volta alcuni prigionieri sono spariti misteriosamente dal carcere.

Il padre di Malala non ha peli sulla lingua: — Le forze di sicurezza combattono il terrorismo con il terrorismo — dice agli attivisti per i diritti umani. — Sono grato perché hanno posto fine alle atrocità dei talebani. Ma chi metterà fine alle loro?

Pare che Maulana Fazlullah sia scappato in Afghanistan. Secondo Ziauddin è giusto uccidere gente come lui. Ma se i soldati fanno fuori tutti quelli che, in un modo o nell'altro, hanno collaborato con i talebani, elimineranno il novanta per cento degli abitanti della valle!

— Questa è una pace ottenuta con la pistola. Cosa succederà quando l'esercito se ne sarà andato? — chiede suo padre.

"Che senso ha rispondere sempre alla violenza con la violenza, alla morte con la morte?" si domanda spesso Malala.

Nelle zone rurali i giovani restano disoccupati. Non c'è lavoro e la gente continua a non aver fiducia nel governo.

Intanto il papà di Malala la candida a un concorso internazionale per bambini che promuovono la pace: nel 2011 il suo nome è annunciato tra i finalisti. È la prima pachistana a farcela, la prima pashtun.

Le presentatrici che la intervistano in TV sono così alla moda: tacchi alti, tanto trucco. Lei è acqua e sapone, avvolta in abiti colorati ma modesti, e sempre con il velo in testa. Qualche volta le mettono un po' di rossetto rosa sulle labbra e un filo di *kajal* nero sull'orlo delle palpebre. Certo, le ragazze della sua età a Mingora non sono "visibili" come lei. Un papà diverso dal suo magari si preoccuperebbe, e chissà se un marito approverebbe. Malala, però, non pensa ancora a queste cose. Pensa al lavoro da fare.

È convinta che costruire le scuole e dare un'istruzione a tutti sia il modo migliore per combattere i talebani.

Il paradiso è perduto.

Ma bisogna andare avanti.

— Sarò un'attivista sociale fino alla morte.

— Costruirò un'università per le ragazze, e una fondazione per le studentesse più povere.

— Voglio creare un partito politico centrato sull'istruzione.

Malala vuole mettercela tutta.

— Se un talebano verrà da me, mi toglierò un sandalo e lo userò per schiaffeggiarlo — dice a una presentatrice.

— Ma lo sai che i talebani hanno bombe e pistole? — le fa notare un altro giornalista — Ti diranno che sei una ragazzina, che hai quattordici anni, quindi devi obbedire e basta.

Non ha tutti i torti. Cosa succederà se rifiutano di ascoltarla? Malala ci pensa e ci ripensa, e all'improvviso si rende conto che la soluzione è ovvia: è sempre stata davanti ai suoi occhi. Deve fare come Gul Makai.

Anche lei era una ragazzina. Però ha alzato la voce. Ha usato il Corano, in cui credeva la sua gente, ed è riuscita a mettere fine a una guerra ingiusta.

— Mostrerò ai talebani il Corano, lo stesso libro che usano per giustificare le loro azioni. Da nessuna parte, nel Corano, c'è scritto che le ragazze non possono andare a scuola.

Alla fine del 2011, il premio internazionale per la pace viene assegnato a un'altra ragazza, ma a Malala il governo pachistano dà un premio di consolazione. E lei non ha dubbi: — Papà, usiamo i soldi per comprare lo scuolabus!

Pericolo

Estate 2012

Torna il bel tempo e i fiori riempiono le colline.

Alla fine dell'anno scolastico, papà organizza un picnic della scuola a Marghazar.

Il posto è pieno di visitatori, intere famiglie, gruppi di amici.

Sedute all'aria aperta, non lontano dal palazzo bianco dove un tempo passava l'estate il principe di Swat, le ragazze guardano scorrere l'acqua di una cascata ormai ridotta a un rivolo in quel punto. Chiacchierano, corrono e ridono insieme.

Alcuni giorni dopo, però, un sasso viene lanciato oltre il muro della scuola. C'è un messaggio per papà:

STAI EDUCANDO LE TUE RAGAZZE ALL'IMMORALITÀ
E ALLA VOLGARITÀ, PORTANDOLE NEL LUOGO DEI PICNIC
DOVE CORRONO IN GIRO SENZA RISPETTARE
LE REGOLE DEL VELO.

Il governo offre protezione alla scuola, ma lui rifiuta: non si può fare lezione con i militari schierati davanti al portone.

Non è la prima minaccia che ricevono: ne sono arrivate altre, anche a casa, dirette a entrambi: padre e figlia.

MALALA È UN'OSCENITÀ.
SEI AMICA DEGLI INFEDELI.

Alcuni amici gli hanno già consigliato di mandare Malala all'estero, per ragioni di sicurezza, oltre che per offrirle una buona istruzione. Finora lui ha resistito: — Tra qualche anno, non è ancora pronta.

A giugno, il proprietario dello Swat Continental Hotel di Mingora viene ucciso a colpi di pistola in strada.

Su Facebook compaiono falsi profili con il nome di Malala, quindi lei decide di cancellare la sua pagina.

— Ci sono ospiti! — Papà la sveglia molto presto, una mattina di settembre.

È Jawad. Come tre anni prima, quando il giornalista era venuto all'alba a riprendere il suo ultimo giorno di scuola.

Malala si unisce a loro in salotto e versa il tè all'ospite.

— Lo zio Jawad dice che tu e io siamo in grave pericolo. Mi consiglia di mandarti a studiare all'estero.

Malala appoggia la teiera sulla tovaglia. Sposta lentamente lo sguardo dall'uno all'altro, e poi replica: — Lo zio è un brav'uomo, ma quello che dice va contro le regole del coraggio.

Da tempo, Malala continua a rivedere una scena nella sua mente. L'ha immaginata così tante volte che ormai è diventata chiara e nitida: un uomo si presenta per ucciderla, e lei inizia a parlargli. "Stai facendo un grosso errore" gli spiega "l'istruzione è un nostro diritto."

Cosa farà quell'uomo, alla fine, lei non lo sa. Forse penserà a sua figlia o, se non ce l'ha, a sua sorella. Forse capirà che sparare a Malala sarebbe come uccidere loro. Non sa come andrà a finire, ma non può lasciare che la paura sconfigga il suo amore per la vita.

Non può dimenticare chi è: lei è Gul Makai, anzi Malala.

Il risveglio

16 ottobre 2012

“Dove sono?”

Malala ha appena aperto gli occhi.

Si guarda intorno.

È in un letto d’ospedale, su questo non c’è dubbio. La stanza ha le pareti celesti, e la finestra è coperta da una tenda a fiori dalle tinte tenui: azzurro, beige, marrone chiaro.

Muove lievemente le braccia e le gambe. Non prova più il dolore straziante di prima. C’è un’infermiera con la divisa azzurra, gli occhiali, i capelli biondi e ricci raccolti all’indietro. Sorride.

Malala vorrebbe chiederle dove si trova, ma non riesce a parlare, sente qualcosa in gola. Perde conoscenza.

Le sembra di assopirsi e risvegliarsi, non saprebbe dire se per pochi minuti oppure per ore.

In gola ha un tubo che l’aiuta a respirare, però le impedisce di parlare. È un medico a spiegarglielo, parlandole in urdu. È un tipo gentile. Le dà un foglio e una penna.

IN QUALE PAESE MI TROVO? scrive Malala.

— Sei in Inghilterra. A Birmingham. Al Queen Elizabeth Hospital.

DOVE SONO PAPÀ, LA MAMMA, I MIEI FRATELLI?

— In Pakistan, ma arriveranno presto.

CHE GIORNO È?

— Il 19 ottobre 2012.

Dieci giorni dopo l'attentato.

Malala se lo ricorda. Le immagini le scorrono davanti agli occhi: il compito in classe, lo scuolabus, gli orecchini di Laila, la strada polverosa, l'uomo con la pistola.

Le ha sparato. Ma lei è viva.

Quella mattina l'infermiera la aiuta ad alzarsi in piedi per la prima volta.

Malala riesce a reggersi sulle sue gambe, ma dopo pochi minuti è già spossata. La testa è pesante, la gola gonfia. Dall'orecchio sinistro non sente quasi niente. Si rimette a letto e l'infermiera le porge un orsacchiotto bianco con un fiocco rosa al collo. Malala lo stringe forte.

Conta almeno otto medici che passano a controllarla giorno dopo giorno. Chi le esamina il lato sinistro della testa: è lì che il proiettile deve averla colpita. Chi le guarda la gola: parlano di un'infezione.

Sul tavolino di legno rotondo, davanti alla tenda a fiori, c'è una montagna di lettere e di disegni che raffigurano il sole, gli alberi, palloncini e mongolfiere. Centinaia di messaggi. L'infermiera ne legge alcuni per lei.

"Cara Malala, spero che tu ti rimetta presto."

"Malala, pensiamo tutti che sei una persona straordinaria."

"Cara Malala, sei così coraggiosa, sei un esempio per tutti noi."

"Malala, hai pagato un prezzo terribile. Ma hai svegliato il mondo."

Le sembra incredibile che tanti uomini, donne e bambini di tutto il pianeta siano interessati alla sua salute. Dio deve aver ascoltato le loro preghiere: per questo l'ha salvata.

PER FAVORE, scrive su un foglietto che porge all'infermiera, RINGRAZIATE TUTTE QUESTE PERSONE A MIO NOME.

Anche se c'è sempre qualcuno con lei e non è mai sola, la sua famiglia le manca moltissimo. Ma come può parlare con loro, se non ha più la voce? Un giorno le portano il telefono.

— Malala? — È papà. E anche se lei non può rispondere, sentirlo di nuovo la riempie di emozioni.

Sulla parete accanto alla spalliera del letto c'è un foglio rosa con la scritta TODAY IS... Ogni lettera è di un colore diverso. Mattina dopo mattina, Malala osserva l'infermiera che scrive che giorno è. E dopo alcuni giorni, i medici rimuovono il tubo dalla sua gola: l'infezione è passata, e Malala può parlare di nuovo, può mangiare. Appoggiandosi al braccio dell'infermiera, riesce anche a camminare con una certa sicurezza.

— Papà — gli dice al telefono con un filo di voce. — Portami i libri quando vieni. Voglio prepararmi per gli esami. — E lo sente commuoversi dall'altro capo del filo.

Un giorno, i medici le hanno appena fatto tutti i controlli a vista e udito, è stesa sul letto a riposare, e finalmente li vede.

Il papà, la mamma, Atal e Khushal entrano nella stanza. E lei, nonostante la stanchezza, tenta di regalare loro un grande sorriso, ma sente che il lato sinistro della bocca non ha la forza di inarcarsi come il destro. I genitori e i fratelli scoppiano in lacrime. Lacrime di gioia. E per quasi un'ora papà non la smette di parlare, di gesticolare, di sorridere.

Atal, seduto al suo fianco, stringe l'orsacchiotto bianco. Dall'altra parte del letto, Khushal, che sembra un po' nervoso, sta in silenzio accanto alla mamma, avvolta in un ampio velo beige. Malala fa fatica a girarsi. Guardando dritto davanti a sé, chiede alla mamma: — Come stanno Laila e Zakia?

— Sono rimaste ferite, ma si sentono molto meglio. Ho parlato con loro per telefono, e mi hanno chiesto di te. Non vedono l'ora di rivederti.

— Non sono le sole — aggiunge papà. — La scuola ha riaperto: il giorno dopo l'attacco metà delle ragazze erano assenti, ma il lunedì successivo, nella tua classe ne mancavano solo sei su trentuno.

Papà fa il conto delle presenze, proprio come ai vecchi tempi.

Passano le settimane e, ogni tanto, seduta al tavolino, con l'orsetto bianco sulle gambe, Malala si ritrova a fissare il vuoto.

Certe volte i bambini non riescono ad addormentarsi per paura dei mostri. Ma Malala i suoi mostri li conosce bene.

Nessuno è stato arrestato per avere tentato di ucciderla.

Un portavoce dei talebani ha rivendicato l'attentato e ha promesso che ci riproveranno: si mormora addirittura che Maulana Fazlullah in persona lo abbia ordinato. Anche se tutti i pashtun sanno che uccidere i bambini è un enorme disonore, la giustificazione dei talebani è che Malala diffonde idee occidentali contro l'Islam, è apparsa in TV truccata e ammira Obama.

Il governo ha identificato un sospetto di ventitré anni, ma il ragazzo si è volatilizzato.

— Ora devi pensare a diventare più forte — le dice papà quando la vede così pensierosa — in modo che i medici possano fare le ultime operazioni. Ripareranno anche il tuo orecchio sinistro — le promette. — Tornerai a sentire perfettamente, proprio come una volta.

Mentre il papà le legge i messaggi di solidarietà che continuano ad arrivare, Malala pensa alla prima foto che le hanno scattato in ospedale e che è stata pubblicata sui giornali.

In quell'immagine, lei giace sul letto con il volto gonfio, gli occhi cerchiati di ombre scure, un sondino nel naso, una sciarpa bianca appoggiata intorno alla testa: sembra proprio che stia per morire.

"Non accadrà più." D'ora in poi, decide, si farà fotografare con un libro in mano e con un bel foulard a incorniciarle il viso e a nascondere le ferite.

Una sera papà le dice che uno dei giornalisti che l'aveva intervistata in TV è scampato per un pelo a una bomba piazzata sotto la sua auto. Malala gli telefona, si fa passare la figlia del giornalista, che ha diciassette anni.

— Hana, sono Malala. Ascoltami — le dice con voce ancora debole, ma sicura. — Capisco che quello che è successo è tragico, ma devi continuare a essere forte. Non puoi smettere di lottare.

Qualche giorno dopo, scopre che il governo ha dato il suo nome a una scuola di Mingora, ma gli studenti si sono ribellati perché non vogliono essere il prossimo bersaglio.

Ancora una volta prende il telefono, per dire la sua:

— Non voglio che gli studenti siano in pericolo per colpa mia. Per favore, restituite alla scuola il nome di prima, oppure sceglietene un altro che non sia il mio.

È ora di lasciare questa stanza d'ospedale. L'infermiera è venuta a prenderla. Tre mesi dopo l'attentato, Malala se ne va, non su una sedia a rotelle, ma sulle sue gambe.

Percorre il corridoio a piccoli passi, con la mano sinistra in quella dell'infermiera che l'accompagna, e salutando con la destra tutte quelle persone in camice che le sono state accanto, che l'hanno curata e guarita.

Arrivata davanti alla porta di legno, si ferma per un attimo, e si gira indietro a salutare anche la telecamera. Tutte le persone del mondo la vedranno, e capiranno. I talebani hanno cercato di toglierle la vita, invece l'hanno resa più forte.

Nuova vita

Malala è felice. Con i libri nello zaino rosa e il papà al suo fianco, percorre il viale alberato, in direzione opposta al traffico.

È il 19 marzo, il suo primo giorno di scuola. E la sua nuova scuola si chiama "Edgbaston High School for Girls".

La divisa è una lunga gonna blu scuro con un maglione verde, sul quale è cucito un piccolo scudo. Malala ha la testa coperta da un foulard, come è suo diritto, e indossa il cappotto, perché a Birmingham fa freddo.

Quell'uniforme le piace: è la prova che è di nuovo una studentessa, che è padrona della sua vita. Sta andando a scuola. È una cosa importante.

Un sabato, qualche settimana prima, in un'operazione di cinque ore, le hanno messo una placca al titanio in testa e un piccolo impianto nell'orecchio sinistro, per aiutarla a sentire. Con un intervento ai nervi del viso sperano di restituirle, col tempo, il sorriso di una volta.

Ma Malala è già felice. È viva, parla, vede tutto, vede gli altri. E questa seconda vita vuole dedicarla alle altre persone.

Ora frequenta le superiori. Imparerà tante cose.

Studierà scienze politiche, diritti sociali, legge.

Capirà come si può cambiare il mondo, come può aiutare tutti i bambini e le bambine a studiare e a realizzare i loro sogni.

"E così, grazie a questa lotta, un giorno, tutte le ragazze saranno forti e rispettate, tutte le ragazze andranno a scuola" pensa. "Ma succederà solo se faranno sentire le loro voci." È una lunga battaglia.

La preside le mostra l'aula di latino, con i banchi candidi e le sedie blu, con i disegni alle pareti e gli scaffali pieni di libri. Poi la accompagna in un grande salone con i tappeti persiani sul parquet, e le mostra una vetrina piena di trofei: sono i premi che alla fine dell'anno vengono assegnati alle studentesse migliori.

Anche Laila e Zakia hanno ricevuto un premio in Pakistan: una medaglia al valore che di solito viene data ai militari, la Stella del Coraggio. E di coraggio ne hanno da vendere: vivono sotto scorta, con le guardie armate davanti casa. Non prendono più lo scuolabus, ma un risciò accompagnato da una pattuglia della polizia, e chiedono sempre di non passare dal luogo dell'attentato: fa ancora troppa paura.

Però continuano ad andare a scuola.

Malala sa che farà nuove amicizie a Birmingham, le ragazze sono gentili. Ma le sue vecchie compagne le mancano tanto. Quando può parla con loro per telefono.

Zakia l'indecisa alla fine ha deciso: vuole fare il medico.

Laila ha chiesto a Malala di tornare. — Sei una figlia di Swat, è tuo dovere.

— Per adesso non lo so, ci sono troppi rischi.

Il papà di Malala promette che rientreranno in Pakistan non appena lei starà bene. Dice che Swat, per loro, è importante come l'acqua per i pesci. Per ora, comunque, è stato assunto al consolato pachistano di Birmingham, con un contratto di tre anni, che potrebbero essere estesi a cinque. Anche la mamma e i fratelli si sono trasferiti lì.

Malala ha parlato con Fatima al telefono: lei non le ha chiesto niente. Le ha promesso una cosa, però: — Non permetterò a nessuno di sedersi al tuo posto.

Ogni mattina, Fatima mette lo zaino sul banco di Malala, l'ultimo a destra in seconda fila. Così, vedendo quella sedia vuota, le compagne non potranno mai dimenticarsi di lei.

Forse ci vorrà tempo, molte lune attraverseranno il cielo, ma quel piccolo battaglione di amiche aspetterà il suo ritorno.

Glossario

Assalam alaikum Saluto, che significa letteralmente "la pace sia con voi". Si risponde: *"Walaikum Assalam"* ("la pace sia anche con voi"). In pashto si può aggiungere *"Pakhair Raghley"* che vuol dire letteralmente "Spero che veniate tutti in pace".

Bazar Mercato tipico dell'Oriente e dell'Africa settentrionale.

Benazir Bhutto La prima (e finora unica) donna pachistana a diventare primo ministro (per due volte: dal 1988 al 1990, e dal 1993 al 1996). Uccisa in un attentato in Pakistan il 27 dicembre 2007.

Burqa In Afghanistan e in Pakistan è un indumento femminile che copre il corpo dalla testa ai piedi. Nel nord del Pakistan il burqa è usato in alcune comunità nelle zone tribali e in alcune aree rurali. Ci sono due tipi di burqa: il primo ha una rete all'altezza degli occhi, che permette di vedere senza essere viste; l'altro ha un tessuto davanti al volto, con o senza una fessura per gli occhi.

Da warro dodai Un pane che a Swat è solitamente impastato con la farina di riso. Rotondo e schiacciato, fritto nell'olio, si mangia anche a colazione accompagnato da uova fritte.

Dupatta Termine urdu (l'equivalente in pashto è *lupata*), è la lunga sciarpa leggera con cui le donne usano coprirsi la testa.

Eid-al-Fitr La festa alla fine del digiuno del Ramadan.

Gul Makai Letteralmente, in pashto significa fiore di granturco, è il nome dell'eroina di una vecchia storia locale, simile a Romeo e Giulietta.

Kajal (o kohl) Un cosmetico comune nel sud-est asiatico, in Medio Oriente e Africa settentrionale, usato per scurire le palpebre e come mascara per le ciglia.

Kameez partog Termine pashto (l'equivalente in urdu è *Shalwar kameez*). Un completo formato da una lunga camicia o tunica che si indossa sopra i pantaloni.

Kebab Spiedino di carne arrostita.

Khaal Termine pashto, per indicare il "puntino rosso di bellezza", tracciato al centro della fronte, come il *bindi* indiano, ma di dimensioni leggermente più piccole. Nel nord del Pakistan l'uso è scomparso in tempi recenti.

Khushal Khan Khattak Guerriero e poeta, considerato il padre della poesia pashto, vissuto tra il 1613 e il 1689.

Madrassa Letteralmente "scuola" (in arabo). In Pakistan il termine è usato per indicare scuole di religione islamica.

Maulana Parola di origine araba, è un titolo usato nel subcontinente indiano per indicare un erudito di questioni religiose.

Maulana Fazlullah Il capo dei talebani pachistani nella valle di Swat. Nonostante varie notizie contraddittorie sulla sua uccisione, secondo i suoi sostenitori è ancora vivo.

Miliziani Uomini armati più o meno regolarmente inquadrati in un'organizzazione militare.

Moschea Edificio sacro dei musulmani, destinato al culto, alla preghiera, all'adorazione.

Mullah Parola di origine araba, usata in Pakistan per indicare la persona che guida la preghiera in moschea.

Parroney In pashto, lungo mantello, spesso bianco, più ampio del saadar, che copre la testa e avvolge il corpo, usato dalle donne fuori di casa, sopra gli abiti. A Swat mentre le ragazzine spesso indossano scialli più corti, molte donne portano il parroney.

Pashtun Gruppo etnico in Afghanistan e in Pakistan. Parla la lingua pashto e rispetta un codice non scritto pre-islamico chiamato Pashtunwali, che guida la condotta dell'individuo e della comunità.

Raita Salsa di yogurt, cetrioli, cipolle, pomodoro e cumino.

Ramadan Nono mese del calendario lunare islamico durante il quale, dall'alba al tramonto, vi è l'obbligo del digiuno e dell'astinenza sessuale.

Risciò Mezzo di trasporto molto diffuso in Asia. Nella sua forma originale, un uomo traina un carrello a due ruote su cui siedono una o due persone; ma oggi sono molto diffusi i risciò a motore, detti anche auto-risciò.

Saadar Termine pashto (l'equivalente in urdu è chadar). Scialle indossato per uscire, di solito è di lana per l'inverno e di cotone o di lino per l'estate. In posti come Mingora solitamente è indossato dalle ragazze per uscire di casa, mentre in luoghi pubblici, ma chiusi, come l'università, può essere sufficiente il dupatta (o *lupata*). L'uso di dupatta, chadar, burqa varia comunque di posto in posto e di famiglia in famiglia.

Samosa Snack triangolare di pasta farcita (con patate, cipolle, piselli, lenticchie, carne e spezie) e fritta.

Sistema scolastico in Pakistan È basato sul sistema britannico. Prevede cinque anni di scuola elementare (dal primo al quinto "grado"), tre di scuola media (dal sesto all'ottavo), poi due anni di scuola secondaria e altri due di scuola secondaria superiore, seguiti dall'università. Alle medie, maschi e femmine sono spesso separati, ma le classi miste sono comuni nei centri urbani. Il curriculum dipende dalla scuola. Le discipline più importanti sono: urdu, inglese, matematica, arte, scienze, studi sociali, religione e storia islamica, e a volte informatica. Possono essere insegnate anche le lingue locali.

Talebani Letteralmente, "studenti" delle scuole coraniche. Il termine ha finito per indicare i miliziani fondamentalisti di etnia pashtun che presero il potere in Afghanistan. In Pakistan, specialmente nelle zone tribali al confine afghano, si sono sviluppati gruppi di talebani pachistani che condividono la stessa ideologia. I talebani pachistani combattono contro lo stato del loro Paese e contro le forze straniere nel vicino Afghanistan; vogliono applicare la loro interpretazione della sharia (legge islamica).

Urdu La lingua nazionale del Pakistan.

Fonti

Per realizzare questo libro ho attinto essenzialmente al diario scritto da Malala per la BBC, a due documentari del "New York Times" e alle altre interviste concesse da lei e dal padre prima e dopo l'attentato. Usando questo materiale come base, ho tentato di ricostruire gli eventi, ma anche i pensieri di Malala e le sue parole.

Sono stati preziosi, inoltre, gli articoli e i saggi di giornalisti pachistani e stranieri sulla situazione nella valle di Swat negli anni in cui si sono svolti gli eventi narrati in questo libro, e le conversazioni con persone che conoscono bene i luoghi, la lingua e le usanze.

Queste ricerche mi hanno spinta, a volte, a includere nel racconto fatti contemporanei alla vicenda di Malala, ma non menzionati esplicitamente da lei: credo che siano utili a descrivere meglio il suo mondo e, per poterli narrare in maniera efficace, ho inventato alcuni personaggi e inserito dialoghi frutto della mia fantasia.

Quasi tutti i personaggi del libro si ispirano a persone esistenti: i nomi sono stati cambiati, ma i fatti principali sono realmente avvenuti. In qualche caso ho preso spunto da più persone reali per creare un unico personaggio. Camminando sul filo tra cronaca e finzione, ho cercato di rimanere fedele alla prima, verificando sempre i fatti e usando la fantasia con prudenza e rispetto.

Il diario

Diary of a Pakistani Schoolgirl, BBC News (dal 3 gennaio 2009 al 12 marzo 2009)

Video interviste

Adam Ellick e Irfan Ashraf, *Class dismissed in Swat Valley*, "The New York Times", 22 febbraio 2009

Hamid Mir, *Attack on Malala Yousafzai*, "Capital Talk", 19 agosto 2009

Adam Ellick, *A schoolgirl's odyssey*, "The New York Times", 10 ottobre 2009

Eighth grader stood up against terrorism for education, "Black Box Sound", 2011

Reza Sayah, *My people need me*, CNN, novembre 2011

A Morning with Farah, 14 dicembre 2011

Geo News, 31 dicembre 2011

Geo TV, gennaio 2012

Talking back, "Mera Passion Pakistan", 16 febbraio 2012

Malala Yousafzai's father insists they will remain in Pakistan when his daughter recovers, "The Telegraph", 25 ottobre 2012

Video, foto, comunicati e aggiornamenti del Queen Elizabeth Hospital di Birmingham, 16 ottobre-16 novembre 2012

Malala Yousafzai discharged from Birmingham hospital, "Birmingham Mail", 4 gennaio 2013

Malala Yousafzai: first interview since getting shot by Taliban, "The Guardian online" febbraio 2013

Malala Yousafzai back at school six months after shooting, "The Guardian online", 19 marzo 2013

Malala announces Malala Fund first grant, 5 aprile 2013

Su Malala

Rick Westhead, *You will not stop me from learning: teen activist awes us with her courage*, "Toronto Star", 9 ottobre 2012

Adam Ellick, *My "Small Video Star" fights for her life*, "The New York Times", 9 ottobre 2012

Basharat Peer, *The girl who wanted to go to school*, "The New Yorker", 10 ottobre 2012

Owais Tohid, *The Malala Yousafzai I know*, "The Christian Science Monitor", 11 ottobre 2012

Radio Mullah sent hit squad after Malala Yousafzai, Reuters, 12 ottobre 2012

Kahar Zalmay, *Class resumed*, "Pakistan Daily Times", 3 novembre 2012

Aryn Baker, *Runner-Up: Malala Yousafzai, the fighter* e *The other girls on the bus: how Malala's classmates are carrying on*, "TIME Magazine", 19 dicembre 2012

Malala's friends jubilant at her recovery, Indo-Asian News Service, 7 gennaio 2013

Ashley Fantz, *Pakistan's Malala: global symbol, but still just a kid*, CNN, 30 gennaio 2013

Marie Brenner, *The target*, "Vanity Fair", aprile 2013

Sulla valle di Swat e sul Pakistan

Palwasha Kakar, *Tribal law of Pashtunwali and women's legislative authority*, Harvard Islamic Legal Studies Program, 2005

Marvaiz Khan, *Music centres threatened by religious extremism*, Freemuse, 4 marzo 2007

David Montero, PBS *Pakistan, state of emergency*, 26 febbraio 2008

Aaamir Latif, *Taliban threats cause Pakistani cops to abandon their jobs*, Us News, 13 novembre 2008

Kamran Haider, *Cleric leads "peace march" through Pakistan's Swat*, Reuters, 18 febbraio 2009

Iqbal Khattak, *Female shoppers still elusive in Swat*, "The Daily Times", 17 marzo 2009

Urvashi J Kumar, *Swat: a chronology since 2006*, Institute of Peace and Conflict Studies (Ipcs.org), marzo 2009

Zeeshan Zafar, *Swat men's first post-Taliban shave*, Bbc News, 6 giugno 2009

16 police recruits killed in Mingora suicide attack, "The Daily Times", 31 agosto 2009

Sabrina Tavernise, *New wardrobe brings freedom to women in Swat*, "The New York Times", 22 settembre 2009

Rick Westhead, *Brave defiance in Pakistan's Swat Valley*, "Toronto Star", 26 ottobre 2009

Daud Khan Khattak, *Who is the Swat Taliban's commander?*, "Foreign Policy Magazine", 21 aprile 2010

Education under attack, UNESCO, 2010

Swat, paradise regained?, Human Rights Commission of Pakistan, luglio 2010

Ashfaq Yusufzai, *Taliban's threats force some nurses to wear veils*, "Pakistan Update", 26 luglio 2011

Shaheen Buneri, *Dancing girls of the Swat Valley*, Pulitzer Center on Crisis Reporting, 13 settembre 2011

Kushal Khan, *Swat Valley, the metamorphosis*, Tribal Analysis Center, settembre 2012

Asad Hashim, *Swat Valley on edge after Malala shooting*, Al Jazeera, 14 ottobre 2012

Poems from the Divan of Khushal Khan Khattak, traduzione dal pashto di D.N. Mackenzie, Allen & Unwin, Londra 1965

Ringraziamenti

Ringrazio l'editor Marta Mazza (nessuna parentela) per avermi proposto di scrivere questo libro e per la perfetta sintonia con cui abbiamo lavorato insieme, e tutto lo staff della Mondadori che ha contribuito alla sua realizzazione. Sono grata al "Corriere della Sera" e al blog "La ventisettesima ora" che mi hanno permesso di scrivere per la prima volta di Malala, e ai giornalisti pachistani Syed Irfan Ashraf, co-produttore di un documentario del "New York Times" su Malala, e Kahar Zalmay per le lunghe conversazioni via telefono e Skype volte ad appurare particolari sulla vita della protagonista e sulla situazione a Swat tra il 2009 e il 2012.

Nazrana Yousufzai, Khushal Khan, Jawad Iqbal, Madeeha Syed, Fathma Amir, Asma Abdurraoof hanno risposto con pazienza alle mie innumerevoli domande sui luoghi, i cibi, l'abbigliamento, i modi di dire, il sistema scolastico, i valori e le tradizioni. Maria Calafiore ha letto per intero le bozze fornendomi il prezioso punto di vista di un'insegnante della scuola media. Ethan Gottschalk mi ha incoraggiata giorno per giorno. Ringrazio le mie nonne, Rosa Adorno e Sara Lo Po', per avermi dato la voglia di ascoltare e di raccontare storie come questa.

Indice

IL BAMBINO NELSON MANDELA

Questa è la storia che una nonna sudafricana racconta ai cinque nipoti.
La storia di Rolihlahla, che correva su e giù per le colline a piedi nudi, portava il bestiame al pascolo e cavalcava gli asini.
La storia di Nelson, che stava per dimenticarsi di andare a scuola, proprio nel giorno degli esami, perché giocava con Mackson.
La storia di Dalibhunga, “colui che promuove il dialogo”, che affrontò con coraggio la cerimonia d’iniziazione, andò lontano da casa per studiare, e una volta rubò il bestiame del reggente.
La storia di Rolihlahla Dalibhunga Nelson Mandela – Madiba, per il suo popolo – bambino fuori dal comune che divenne un grande uomo di pace e vinse il premio Nobel.

Una storia che si fa romanzo, ma al tempo stesso racconta la Storia, narrata dalle parole avvincenti di Viviana Mazza e dalle immagini piene di suggestioni africane di Paolo d’Altan.

PROVA D’ACQUISTO
978-88-04-63977-0
Storia di Malala